萧乾 主编

新编文史笔记丛书

第三辑

27

桂海遗珠

李振潭

◎广西壮族自治区文史研究馆 编
●唐侬麟 主编

中華書局

目录

序 …………………………………… 萧乾

人物春秋

孙中山桂林施仁政 ………………… 谢和会 1
李济深与李铁夫 …………………… 李昭 2
李济深与船民黄窝 ………………… 李煜平 4
李宗仁与何武 ……………………… 何铁峰 5
李宗仁轶事三则 …………………… 莫以非 7
我被禁止到郭老家 ………………… 谢和赓 8
韦拔群不当县长 …………………… 彭源重 9
不当官的六品顶戴 ………………… 阳玉麟 11
李品仙以墨迹犒赏豪绅 …………… 梁益年 12
谷正纲南丹拨款施粥 ……………… 杨吉煊 13
龙云撤军趣闻 ……………………… 梁上燕 14
马相伯病逝谅山 …………………… 毛松寿 15
著名法学家王觐教授 ……………… 唐农林 16
梁漱溟寄寓临江 ……… 薛汉权 谢贤青 17
李任仁献婚宴酒金救灾 …………… 李海楼 18

张难先“摆酒” …………………… 何家亮 19
黄绍竑的一次“精神讲话” ……… 江 东 20
马君武眷恋故土 …………………… 谢 逸 22
马君武寻情入圈套 ………………… 苏锦元 23
李惠堂在桂林潦倒 ………………… 张铁汉 24
林半觉组稿纪趣 …………………… 沈江东 25

睦邻花絮

黄文欢在龙州二三事 …… 李白凤 李耿清 27
黄文树在龙州建越南劳动党海外小组
…………………… 李白凤 李耿清 28
莫一凡为“越盟”举办军训班 …… 隆李逵 29
潘古河内画胡志明像 ……………… 隆李逵 31
胡伯伯在广西二三事 ……………… 蓝启渲 32

书情画意

施献璜书法撷趣 …………………… 施本锴 35
王拯与《媭砧课诵图》 …………… 陈铁生 36
画家李翰华轶事 …………………… 李鸿渡 38
孙中山梧州题画 …………………… 李晃春 39
徐悲鸿为张大千和菡君画像 …… 朱家栋 40
徐悲鸿的油画《广西三杰》 ……… 谢和赓 41
徐悲鸿将王莹画入《愚公移山》 …… 谢和赓 42
纪念半塘老人的一次集会 ……… 朱袭文 43
丰子恺住两江趣事 ………………… 江 东 45

诗林撷英

梁启超等赏菊题诗 …………………… 李晃春 46
胡适洞房考妻 ………………………… 李晃春 47
李济深和诗明志 ……………………… 李 昭 48
李宗仁将军的两首诗 ………………… 钟文堦 50
李任仁赋诗砭陋俗 …………………… 李海楼 51
记王莹给周恩来的诗 ………………… 谢和赓 52
王莹改裴多菲诗 ……………………… 谢和赓 53
欧阳予倩赋诗别桂 …………………… 党 明 54
谢康悼王力父亲诗 …………………… 谢朴生 56

文苑掇拾

《笈云草》 ……………………………… 赵师观 58
三十年代的南宁大夏书局 ……… 雷润清 59
桂林的三户图书社 ………………… 蔡定国 60
广西最早的一部市年鉴 …………… 洞 仁 61
李任仁对《救亡日报》的赞助 …… 李海楼 62
昆仑关烈士墓园及名人题词 …… 唐农林 64
听月亭命名由来 …………………… 梁寄尧 66
李宗仁在台儿庄的照片是周游所摄 雷 成 67
南宁早期放映的电影 ……………… 雷润清 68
广西省立艺术馆新馆筹建轶闻 --- 苏理立 69
“戏鸿堂”碑刻何以未被日军掳掠 … 梁益年 70
第一个报道南沙群岛的新闻记者 … 梁元熹 72
山歌状元马饭包 …………………… 梁寄尧 73

联语趣话

一县八进士　三科两状元 ……… 吴　晋 76
李如金撰联讥刺沈鸿英 ………… 陈硕章 77
胡适集《楚辞》联赠雷宾南 ……… 马清和 78
联语痛刺曾国藩 ……………… 韦甘睦 79
朱荫龙的一副对联 …………… 朱袭文 80
妙联一副骂权贵 ……………… 方贵益 81
“谈”“打”春联 ……………… 梁上燕 83

梨园旧事

我为梅兰芳代笔画梅 ………… 朱家栋 84
马师曾喜爱梧州的“三宝一好”
…………………… 黎侠峰　黎庆焕 85
梧州的“八和会馆” …… 黎侠峰　黎庆焕 86
薛觉先桂林办《剧声报》 ……… 陆君田 87
《剑舞》曲惹出《红拂传》 ……… 蔡定国 89
金山、王莹连演三独幕 ……… 陈开瑞 90
“可以禁演，一字不改！” ……… 陈开瑞 91
坏蛋全叫“洪深” …………… 苏锦元 92
文化城劳军义演 …………… 陆君田 94
唐景崧与“桂林春班” ……… 蔡定国 96
桂剧最早的女伶 …………… 梁父吟 97
桂剧名伶小飞燕 …………… 曾辉宗 98

八桂儿女

"宫保赐产" …………………… 黄家藩 100
红七军在乐业县城召开演讲大会 … 廖和康 102
广西留日同学会与《东流》杂志 … 钟文堦 103
留趣山抗战轶事 ………………… 李 仁 104
中华全国总工会的第一位
女职员 ……………………… 黄童生 106

医教集粹

梧州名医何静轩 ………………… 何虚中 108
名医于峰拔和洪子寿 …………… 陈光宗 110
易敦吾送医进瑶山 ……………… 李伯坚 112
梁培基的悬念广告——"发冷丸" … 李晃春 113
张咏仙经营红膏药之道 ………… 刘郁卿 115
靖西端午药市 …………………… 邓庆荣 116
李上昭先生捐资办学 …………… 陈秉燊 118
任中敏办学二三事 ……………… 刘 劭 119
杜聿明全州办学 ………………… 伍邦彦 121
我请胡适题校名 ………………… 钟文堦 123

百业鳞爪

山标奖券和防空奖券 …………… 苏乐民 125
广西农民银行的实物借贷 ……… 郑家度 127
十足准备金的银行兑换券 ……… 郑家度 128
民初南宁商会的商团和护商队 … 雷 成 129

"张永发"的染水——永不褪色 ··· 刘开泰 131
郑观应主张自办西江轮运 ········ 何家亮 132
"朱荣章号"轻型战斗机 ········ 梁志强 133
桂林"鸿庆隆"的用人之道 ········ 徐祖宏 134

岭西风物

北海日月贝 ························ 莫培滔 136
无眼鱼 ···························· 廖和康 137
"没六鱼"和"没六鱼洞" ············ 方世勋 139
桂林王城之今昔 ···················· 毛松寿 140
宁武庄 ···························· 陆君田 142

民族风情

壮族泼泥节 ························ 谈　琪 144
壮族的"出生标志"与"助力酒" ··· 覃昌平 145
凌云县泗城壮族夜婚习俗 ·········· 杨相朝 146
垦荒植棉 ·························· 覃剑萍 148
过山瑶婚俗 ························ 黄　钰 149
盘瑶的庞桶药浴 ···················· 黄汝珍 151
笑酒 ······························ 蓝正祥 152
丢鸡蛋选墓穴 ······················ 蒙冠雄 153
仫佬族"走坡" ······················ 邵志中 155
仫佬族人的"地炉" ·················· 滕肇文 156
卡头 ······························ 阳　映 157
隆林苗族巡夜丧俗 ······ 李树荣　杨春贵 159
毛难族的分龙节 ···················· 陈左眉 160
牛节 ···························· 萧宛　关娜妍 161

民族文化

侗族琵琶歌 …………………………… 周东培 163
芦笙长鼓舞 ………… 谢成章 奉恒升 164
彝族跳弓节 …………………………… 慕菁 166
排歌歌会 ……………………………… 李树荣 168
壮家的歌棚 …………………………… 蓝正祥 169
用壮字刻在墓门上的壮歌 ……… 韦甘睦 170
铜鼓之乡——东兰 ………………… 覃剑萍 171
水中比武祷丰年 …………………… 邓庆荣 172

社会剪影

客人着洋装 县长受冤枉 ……… 梁志强 174
省主席惩治"亚庐"赌徒 ………… 苏乐民 175
处决王公度前后 …………………… 罗明昆 177
常神父教堂毙贼 …………………… 黄童生 179
长辫子的洋教士 …………………… 梁碧兰 180
古棺岩 ………………………………… 覃剑萍 182
桂林献金大游行 …………………… 蓝天 184
南宁"群英社" ………… 饶开 黄炎江 185
何物"龙州鸡鬼"? ………………… 李白凤 186

后记 ………………………………………… 188

序

萧　乾

读书界向来对野史有所偏爱。野史大多是信手拈来的历史片断，且往往出自亲历者之手。文直事核，不虚美，不隐恶，而文笔潇洒自如，意味隽永，自然朴实，篇幅不长；可以摊开来仔细咀嚼，也可供茶余酒后、行旅倥偬中，随手浏览。

鲁迅在《华盖集》中，曾几次对野史表示过好感。在《忽然想到》一文中写道："历史上都写着中国的灵魂，指示着将来的命运，只因为涂饰太厚，废话太多，所以很不容易察出底细来。正如通过密叶投射在莓苔上面的月光，只看见点点碎影。但如看野史和杂记，可更容易了然了，因为他们究竟不必太摆史官的架子。”又在同书《这个与那个》一文中说：“野史和杂说自然也免不了有讹传，挟恩怨，但看往事却可以较分明，因为它究竟不像正史那样地装腔作势。”

全国文史研究馆所编的《新编文史笔记》丛书，内容也属野史杂说的范畴。我们希望这些以亲闻、亲见、亲历为主的轶事掌故、琐闻杂记，写人、事而摒除误会曲解，述历史而符合真实面目。

作为一种短隽有味，文字清奇而又雅俗共赏的文学体裁，笔记在中国具有悠久的传统。它始自魏晋，盛行于宋代。南朝刘义庆的《世说新语》，北宋沈括的《梦溪笔谈》，南宋陆游的《老学庵笔记》，明朝张岱的《陶庵梦忆》，清朝纪昀的《阅微草堂笔记》以及20世纪30年代初丰子恺的《缘缘堂随笔》，都是文学史上的奇葩。然而，近年来笔记乏人问津。因此，我们出这一套书，也包含着挽回颓势之意。

全国三十二所文史研究馆拥有雄厚的稿源，两千多位馆员和各馆联系的社会人士，都是丛书的撰稿人。他们都是文史界的耆宿，见多识广，阅历丰富：有的反对过帝制，有的在“五四”运动中扛过大旗，他们目睹过军阀的横行霸道，也经历过艰苦卓绝的八年抗战。这些历尽沧桑的饱学之士，他们的所见所闻，都是弥足珍贵的史料。

本丛书分辑出版，分别由各地文史研究馆编辑，内容亦以本乡本土为主。因此，各册势必具有浓厚的地方色彩。

本着笔记固有的传统，所收各文题材不嫌庞杂。举凡与文史有关的政治、经济、军事、文化、社会等方面，或记闻见杂事，或叙往昔交游，或忆社会百态，均在搜罗之列。时间跨度则自清末以迄1949年为止。这正是中华民族从闭关自守到走向世界，从落后羸弱到奋发图强，是天翻地覆、风起云涌的大半个世纪。其间，发生过多少可歌可泣的事迹，涌现过多少杰出的人物。以这一时间跨度为背景题材写出的笔记作品，必然是内容最为丰厚的。

在选稿标准上，我们坚持史料一定要真，内容要新；既要防止以讹传讹，也力避炒冷饭。在写法上务求短小精悍、生动活泼。每篇以千字为度，希望借此在文风方面，提倡一下简约。在版式上，则想做到既利于阅读，又便于携带。

恳切希望文史界方家及广大读者，不吝赐正。

孙中山桂林施仁政

谢和会

1921年冬，孙中山先生率滇黔赣粤桂各军在桂林组织北伐时，一切军需开支，均由广东带来，所使用的货币，除广东的银质东毫外，尚有纸币，均为广东省银行发行者。1922年3月，陈炯明在广东谋叛，孙中山为安定后方，即率各军返回广东，企图将大本营安定后，再行北伐。

孙中山率各军转回广东时，将在桂林因支付军需流向社会的纸币，用广东省银毫兑回，以免老百姓吃亏，但因时间紧，仍有少量广东省银行发行的纸币无法收回。

孙中山到广州后，即令最后撤离桂林、仍驻扎在梧州的谢文炳部队，由梧州运载日用副食品四船去桂林。谢部将四船货物运抵桂林后，即通知桂林商会转知市民，让其用纸币到停泊于漓江浮桥旁的四船购买物品，并由桂林商会按照当地市价核定价格。

消息传出，市民皆大欢喜，均购得副食品而归。时笔者住在行春门街，秦遇量伯伯等买得大量物品转来，围观者甚众。一位私塾唐老师感慨地说：我们读书人只知道过去有唐虞盛世，于今伟大的孙中山先生，他能时时处处都想着老百姓的利益，为了不使老百姓受到损害，特地由梧州运货来收回那已经不用了的票子，这样的做法，就是老百姓所望于政府的"仁政"了。

李济深与李铁夫

李　昭

李铁夫早年留学美国，参加同盟会，曾卖画支持孙中山革命。他为人正直，嫉恶如仇，不趋时媚俗，不结交权贵，不搞交际应酬，连娶妻都认为是艺术家人生中多余的事，因而终生不娶，在文化界中可称是一个奇人。

抗战期间，李铁夫来到重庆，生活很困难。蒋介石素知老画家的大名，欲请李铁夫为自己写照，许以重金酬谢，而李竟拒画。其后，李铁夫辗转到桂林。军委会桂林办公厅主任李济深敬重他的人品和画技，热情接待，并请他住在办公厅内，让他专心从事绘画。

李铁夫同李济深一见如故，主动提出为李济深画一幅油画像。他作画时一丝不苟，不许被画的人乱动，为了画一只手也要李济深坐在那里画几次，每次一个多钟头。这幅肖像画得形神俱备，倾注了老画家对李济深的深情，看过的人都赞不绝口。

1944年3月25日，广西美术界在省艺术馆礼堂举行庆祝美术节大会，李济深在会上号召大家学习李铁夫。他说："从事艺术的人，要学习李铁夫先生。他将艺术与人生融和成一片，不知道什么叫功名利禄，什么叫交际应酬。他才配做你们的榜样，你们的模范。"

1944年秋，桂林沦陷前夕，李铁夫随李济深回到苍梧大坡山。老画家在李家作客，亦如在自己家一样，率性不羁，李济深不但自己尊重他，也教家人尊重他。后因李济深组织敌后抗日武装遇到很多困难，诸事不够顺遂，未免心绪不佳，朋友间或有邀他下棋解闷的。一次，他和一位来客下棋，朋友们在旁观战。李铁夫突然排闼直入，看看棋，又看看李济深，自言自语地说："还好，总比抽鸦片好!"在场的人面面相觑，李济深慢慢收了棋盘。

李铁夫从不当着李济深的面言谢，但私下里

对他的学生却盛赞李济深待人宽厚,虚怀若谷。

李济深与船民黄窝

李煜平

1910年,李济深在北京陆军大学学习期间,有一次家乡"下小河"山洪暴发,淹没沿江两岸。时李母吴太夫人不慎被洪水冲走,幸得抓住一木箱,不致沉没。此时,有船民黄窝见状立即纵身下水,在惊涛骇浪中将李母救出。李母非常感激,谓有儿在外读书,如他日得志,定命其报答。

不久,李济深南返回家,其母遂将黄窝救命之事相告。李天性孝顺,深感黄窝救母之恩,对黄备加敬重。以后每逢回家,必请黄来相叙,待之如上宾。黄为一介平民,秉性忠直,无市侩气味,常与李平起平坐。凭李的官威,时人为黄起一绰号,叫"双威风"。又因其不贪不邪,性格憨直,又另赠一绰号"傻仔窝"。

某次,黄窝因修船无钱,经旁人提醒,到梧州西门口找当了督办的李济深借钱。卫兵见其东张西望,身高体黑,衣冠不整,不给进去。黄遂与卫兵争吵。门房见状,入内禀告李济深:"门外有个乡下佬说要找你,还称你为九兄。"李出门一看,见黄窝面红耳赤,急忙上前与黄抚肩握手,客气地把他请进客厅。刚坐下,黄便直言欲借光洋二百修船。李笑答："原来如此，好办，好办，吃了饭再说。"饭后，李便入室取钱，如数送上，并说如不够用，可再来取。

翌年，黄窝再到梧州将所借二百光洋奉还，李不收，黄不依，说有借该还，理当如是。可见其憨直如此。

李宗仁与何武

何铁峰

李宗仁待人宽厚，极重感情，何武则胸无城府，耿直刚烈。在多年的戎马生涯中，两人相濡以沫，情同手足，在官兵中传为佳话。

"过河兄弟"

民国×年(1916)，李宗仁和何武同在护国军第六军林虎部下任职。在一次战斗中，部队失利后撤，李宗仁不幸负伤并与部下走散。撤退中部队为一条湍急且深的小河所挡。李带伤而退，已经精疲力乏，无法涉水，只好眼睁睁地看着别人趟水过河。

这时，何武带着退下来的部队也来到了河边，看见受了伤的李宗仁颓然坐在那里。当时追兵逼近，情势十分危急，何武径直走到李宗仁跟前，不容分说，背上他就过河。过河之后，何武把

李宗仁交给他的部下用担架抬走，便集合自己的部队赶路去了。

后来，李、何所部都奉命回驻玉林，他们两人又见面了。为感激何武的救命之恩，李宗仁提议要与何武结为金兰。虽然为何武所婉辞，但此事还是不胫而走，官兵们都谑称他俩儿是“过河兄弟”。

“半条凳司令”

民国十年(1921)，李宗仁和何武率部进入六万大山。刚进山时，正遇上多日连绵阴雨，地上潮湿，部队军需物资奇缺，官兵们都只好席地而卧。

一天，到附近村庄买东西的士兵给何武弄回了一张长凳(也称“条凳”)，何武没有留下自用，却叫人送给了李宗仁。

晚上，李宗仁叫人把何武请来，风趣地说：“我们共享这张长凳吧！”于是，他们两人头顶着头，上半身各睡在半张凳子上，两只脚却吊下来撑着地面。两人就这样睡了一夜。

由此，他们两人又多了一个“半条凳司令”的雅号。

李宗仁轶事三则

莫以非

一碟黄豆

1942年，我在桂林私立德智中学(李宗仁夫人郭德洁创办)读初中。以往开膳，八人一桌，每桌四盘菜，有一天，每桌都多了一碟黄豆。同学们一边吃，一边悄悄地议论。

过了几天，开饭的时候，事务主任来了，他对同学们说："这几天来同学们都在议论餐桌上多了一碟黄豆的事，现在我告诉大家，这碟黄豆是李司令长官加给同学们吃的。前几天郭校长(郭德洁)和李司令长官到学校看望师生，和大家讲了话后，了解同学们的伙食情况。为了增加大家的营养，临走时他对我说：'以后给学生每桌加一碟菜，钱由我付。'"同学们听了都高兴得叫起来："谢谢李长官！"

五块光洋

有一次，笔者来到榔(音浪)头村李宗仁先生的故居参观，适逢两位七八十岁的老者坐在村边树下的石板上聊天。因为好奇，想了解一下李先生的家乡事，便和老者聊了起来。老者说：德

邻兄(德邻是李宗仁的字)自从出去以后很少回来,他回来时都是一个人(不带卫士)走家串户问候。他上门都不送东西,第二天让家人给全村每户送五块光洋,作为对乡亲们的一点心意。这五块光洋在那时可买得两担多谷子了。那时村里有几家正愁没钱过年，他们得了这些钱买了几十斤肉,也可以欢欢喜喜地过年了。

石灰窑上

李宗仁先生在外面是个威严的司令长官,出门就坐小轿车,卫队前呼后拥。可是,他一回到家乡便成了一个老百姓。只要进了村,他就叫卫士不要跟了。有一次下午,他回老家来,脱下将军服,独自走出村,看到后山的石灰窑上很多人正在忙着,便走上前去,客气地和大家招呼,随便聊起天来。天色将晚，为了不耽误大家装窑,他一边谈话一边和大家搬石头。天黑了,大家劝他回家去,他说:“急什么,你们还没装完窑呢。”他一直和乡亲们装完窑才摸黑回家。

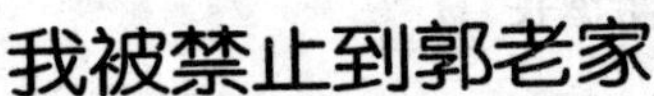

我被禁止到郭老家

谢和赓

1937年末，我与上海救亡二队演员王莹认识不久,有一天,她和于立群约我到郭沫若家。

在郭的大客厅见到胡愈之、张志让、田汉、洪深、冼星海等，大家正在谈诗论画，挥毫书写。愈之向大家介绍：我父谢顺慈是广西著名的书法家、金石家和诗人；并说我家学渊源，也能写一手好的毛笔字。经王莹和立群的怂恿，我自己也年轻气盛，心里一痒，拿起宣纸，便飞笔写下："富贵不能淫，威武不能屈，贫贱不能移，真理不能离。"四句，还自以为得意。不想，正在大家拍手赞扬之际，周恩来跨入客厅，来访郭老。周一见我，冷若冰霜，连正眼也不看我，便一一与其他的朋友握手寒暄，直冲入郭老内室，至此，王莹与立群也大为震惊。

第二天董必武约我见面，严厉地警告我：周恩来指示，如再一次到郭家，便要考虑我的党籍问题。我表示接受周的指示后，董老才安慰我说：恩来同志是多么关怀爱护你啊！你是中央直接领导的秘密党员，哪能随便到郭家呢？……

韦拔群不当县长

彭源重

韦拔群同志1919年在贵州讲武堂毕业后，入黔军服务。在俄国十月革命和我国五四运动影响下，他毅然离开黔军，于1920年9月从重庆到广州，加入了"改造广西同志会"，并任政治组副组长。次年8月,孙中山任命马君武为广西省省长,韦拔群随马一起回到南宁。

一天,马省长专门找韦拔群叙谈。马说:“拔群兄,你我一见如故,志同道合。你对中山先生的忠实信仰,对改造广西的远大抱负,令我十分钦佩!如今陆荣廷虽大势已去,但广东军阀又把手伸了过来。广西政局仍不安宁啊!你还要鼎力相助。从现在起,你就安心在此共事吧!”

韦拔群推辞说:“不,不,先生,多谢你的好意,我乃穷乡农夫,我念着家乡的穷苦百姓,还是让我回乡去吧!”

马君武笑着道:“拔群兄真是志气不凡,愿与民众打成一片。既然这样,那我就委任你为南丹县县长。那里靠近你的家乡东兰,又是广西通往云贵的门户,就请你为广西看好这个大门吧!”

韦拔群还是推辞了马省长的好意,说:“马先生,我是东兰人,还是让我回东兰去吧!”

马君武笑着说:“哈哈,别人都说家乡父母官难当,你却愿意当这个父母官,那也好,我就改任你为东兰县县长!”

“不,不,马先生,我不当这个县长,我是要回去为家乡老百姓做点事。”韦拔群一边推辞,一边解释。

“那你是……”马君武真是迷惑不解了。

韦拔群谢辞了马君武的委任,于这年中秋,脚穿草鞋,头戴草帽,只身回到了家乡东兰,从此开始了他在右江的农民革命运动生涯。

不当官的六品顶戴

阳玉麟

先高祖阳公讳启文，生于道光丁酉年(1837),卒于光绪己亥年(1899),朝廷授以六品顶戴,然非由科举,亦不从仕,而是一个实业家。

临桂阳氏《宗谱》载其事迹云：

“翁幼聪慧,喜读书,因家贫未获如愿。稍长佐先大父经商。工心计,不避劳苦,家业渐裕。”而后,“对其亲友之婚丧灾患急需,资助尤多,又尝施棺木,建筑道路、桥梁、凉亭一切公益。犹忆清光绪丙戌(1886)邑(指旧义宁,今临桂)大饥,翁罄其累年积谷放赈,户赈谷一桶,谷尽,给以钱,户一百,共计三十二村。是秋,邑人设义仓,翁捐谷五十石,数独巨。(光绪)辛卯(1891)清丕瑶马公中丞教桂民种桑、养蚕、机织。翁独办机坊。蒙奏请奖给六品顶戴。”

高祖脚踏实地为家乡父老尽点薄力，自己平时却“为人朴素自若,不务华饰”。其德斐然,六品顶戴之殊遇亦在情理之中，更深受后人钦仰。

李品仙以墨迹犒赏豪绅

梁益年

李品仙主政安徽之初，皖地诉讼之风甚盛，派系纷争极烈，政令难以施行。李有见于此，遂将党务、省政、军事三大权力集于一身，此乃李氏“党政军同出一元”之主张也。

为掣肘派系，使政令畅通，李还安定豪绅，使之为己所用。李氏对豪绅的使用，并非一味封官晋爵，而是视他们对社会之贡献，声誉之高低，得民心之与否，号召力之大小，分别冠以省府顾问、参议、咨议等头衔。被聘者一般不得薪俸，只视情酌给伕马费。对成绩显著者，也给予犒赏，但奖品多为李之墨迹。李嗜好古玩，通诗律，长书法，工米南宫书，笔锋隽秀刚劲，深受喜爱，但求之不易。李之犒赏，多是条幅并上下落款，得者如获至宝珍藏之。故李氏在皖的墨宝虽多，但得者多为豪绅也！

谷正纲南丹拨款施粥

杨吉煊

1944年10月，日寇进攻广西，桂、柳吃紧，数十万难民沿黔桂公路逃难，数百里公路上难民扶老携幼，风餐露宿，饥寒交迫，饿殍遍地，惨不忍睹。沿途地方官员早已逃之夭夭。时南丹县长亦借述职往百色躲避，由秘书廖某代理县长职，廖对难民虽有同情而束手无策。此时，国民党社会部部长谷正纲路过南丹，见难民其状可悯，即召集南丹县府有关单位负责人开会，建议廖某等对难民进行救济。谷正纲当即拨出十万元法币，交由南丹县府负责施粥。县府全体人员迅速行动，征集二三十只大锅，日夜煮粥，当时到达南丹的难民，总算是得到一点救济。但粥少人多，难以为继，仅施粥三天，闻说敌人已到宜山，县府人员即全部撤走，施粥遂告停止。

龙云撤军趣闻

梁上燕

1925年滇桂战争爆发，唐继尧兵分两路侵桂，其中一路由滇军第五军军长龙云任总指挥，率三万余兵(号称五万)，进兵占领百色，2月25日直趋广西省府南宁。

桂军竭力抵御，双方相持数月。桂军黄绍竑部联合滇军范石生部，将龙云围困。龙曾派谭浩澄突围，谭战死。龙云部队师老兵疲，骑虎难下。

7月7日夜间，龙云偕同几位幕僚登上南宁望仙坡镇宁炮台察看地形。他指着邕江南岸一圩场问道："那是什么地方？"幕僚答道："亭子。"龙云叹道："啊，停止！"话中似有无限感慨。

他转身指着另一村庄，问道："那是什么地方？"幕僚答道："窑头。"龙云低声自语："啊，摇头！"

他扭头指着邕江上游一圩镇问道："那是什么地方？"幕僚答道："心圩。"龙云叹道："啊，心虚！"他再指着西面小村，问道："那是什么地方？""大王坟。"

龙云听了之后，低头不语。滇军龙云部即于当晚退兵。

马相伯病逝谅山

毛松寿

丹徒马相伯(1840—1939)曾在清末从事外交活动，并在上海先后创办震旦学院、复旦公学及大同大学。辛亥革命后，代理江苏都督，后任北京大学校长。

抗战爆发后，马相伯随同家人避居桂林。时敌机频繁袭桂，马相伯镇日静坐桂林叠彩山"风洞"内，以避空袭。但因"风洞"甚凉，不堪其冷，家人即与之移居南宁。但马老体弱，仍感寒冷。此时除去越南外，别无佳处避寒。马老一贯反对出国避难，常言："国家有难，出国避难者实属可耻。"家人只好采用"瞒天过海"之计，暗中送之去越南谅山居住，未敢明言，而马老因眼力微弱，听觉不聪，在谅山期间，始终未察觉身居国外。1939年马相伯病逝于谅山，享年一百岁。

著名法学家王觐教授

唐农林

王觐，字漱苹，湖南浏阳东乡人，生于1889年12月6日。早年东渡日本，于明治大学法律系高等研究科毕业。

1918年学成回国，任北京中国大学、河北大学、北平大学俄文法学院、北京朝阳大学、北京大学、清华大学、湖南民团学院、广西大学、湖南大学等十一所大学教授、系主任及院长等职。

王教授一贯主张厉行法制，以法治国，大小官员与黎民百姓人人守法，一律平等。早在二三十年代，他在授课之余，谢绝门庭，埋头于著书立说。在出版了《法学通论》一书后，又经五年耕耘，出版了《中华刑律论》，后更名为《中华刑法论》。当时，国内各高等学府的法律系都以此书为主要教学书目，全国各大图书馆亦有珍藏。此书曾再版九次，风行一时，深受我国法学界推崇，王觐亦因此享有“南郭北王”(南郭指上海的郭卫教授)之美誉。该书发行至第五版时，王在自叙中称：“四远争购，巨数立罄，销行迅远，实出望外”等语。北平《益世报》记者对王教授进行了专访，并发表了长篇访问记。

1953年广西大学院系调整，王教授被聘为广西首批文史研究馆馆员。1987 年 2 月病逝于长沙,终年九十八岁。王教授从教数十年,治学严谨,待人以诚,生活简朴,一生为教育事业鞠躬尽瘁。如今全国不少大专院校法律系教授及司法战线上的老同志,多为其当年学生。笔者赴长沙为王老主持丧葬仪式,湖南大学诸教授及长沙市一些单位的名流,均悼忆王老业绩。

梁漱溟寄寓临江

薛汉权　谢贤青

1944 年,正值祖国灾难深重之时,梁漱溟先生由桂林来到贺县,住在爱国民主空气甚浓、闻名遐迩的临江中学。

梁先生身住平房,胸怀天下,常与友人畅谈国是,他认为"最要紧的问题,莫过于发动群众,支援抗战"。这年 11 月,在临江中学对师生作了《动员与民主》的讲演,还应各报社之约,撰文议论国是。梁先生积极为抗日救亡活动,找当地名绅高雁秋等谈论国家大事,也曾到平乐专署访李新俊专员,做说服工作。

1945 年 1 月,梁先生作《建国问题》的讲演,指出近百年来国际上出现两条建国道路:一条是苏联社会主义建国道路,另一条是欧美资本主义建国道路。中国人将会选择自己的路。他还

参加了八步“文苑草地会”的文人学者活动，并为临江中学同学录题词：“相交期久敬，志道毋远求。”又曾为临中刘彦忠写一条幅：“寄语天下人，尊事毋欲速。导师慎指南，一误悔难复。”

梁先生在贺县一年，为抗日救亡，争取人民民主做了不少工作。他在《忆与临中师生相处的岁月》中写道：“我于抗日战争胜利前最为艰难时期，曾寄寓临江，为抗日及民主事业贡献绵薄。”谦谦君子之风，令人钦敬。

李任仁献婚宴酒金救灾

李海楼

1946年，抗日战争的硝烟刚刚消散，中国大地又出现了罕见的自然灾害。据联合国善后救济总署发表的调查报告，有统计的灾区达十九省之多，广西是重灾区之一，田园荒芜，哀鸿遍野，死亡人数达一百多万。许多活着的人在饥饿线上朝不保夕。

广西省政府成立了“救灾运动委员会”，极力开展救灾工作，除电请“行政院”拨款赈济外，并向联合国救济总署呼吁请拨物资救灾。

时李任仁先生为“救灾运动委员会”副主任，他以全副身心投入了救灾工作。4月间，李先生之小女秀林与会仙中学老师黄照松(建国后为西大教授)结婚，承党政军各方面友好送礼庆贺，按礼须办喜筵申谢，但李先生轸念灾情严重，乃将筵席金十万元送救灾委员会赈济灾民。1946年4月26日《广西日报》以“李议长轸念灾黎，捐献女公子婚宴酒金”为题登出一条消息云：“省参议会议长李任仁先生，倡导节约，女公子秀林女士结婚，亦崇尚俭朴，不事铺张，并将其酬谢友好送礼之席金十万元，送救灾委员会赈济灾民。”

张难先“摆酒”

何家亮

张难先先生于20年代初，曾在李济深为督办的西江善后督办署任参议。1925年10月，任梧州榷运局局长。

张到榷运局任职，各机关和工会送来大量贺礼。榷运局依惯例印制一批精美请帖，请各机关团体及有关官员饮答谢酒，张先生得知即极力劝阻，但职员已将帖下发，帖上赫然印着“民国十四年某月某日下午，薄酌候驾。席设梧州洞天酒家，四时入席，恕乏介催”云云。

开宴当天下午，十多席椅桌摆开于洞天酒家宴厅，各方宾客于三时后陆续赴席。四时整，张先生也按时莅临，在热烈掌声中即席致辞。

张先生对各机关团体工会连日送来的贺礼及当日应邀赴会深表谢意，接着话锋一转："今天酒席预计要花五百大银。目前农工革命浪潮滚滚，省港罢工势不可挡。孙中山先生生前有谓：'革命尚未成功，同志仍须努力。'对省港罢工弟兄，我们不但要声援，也应以行动相助，如今他们遇到困难——老板们正以不发工资要挟，罢工工友多日断炊。所以我准备将这五百酒席金，连同所有贺礼，一并捐赠给罢工委员会。今天抱歉，改请大家饮杯清茶吧。"各工会代表即时全体起立，报以热烈掌声，酒家跑堂喜气洋洋出来撤去碗筷，为各位来客冲茶，张难先先生的答谢酒会变成了支援省港罢工的茶话会。

黄绍竑的一次"精神讲话"

江 东

1943年秋，浙江省政府主席兼第三战区副司令长官黄绍竑巡视浙西抗日前沿的高岭堡垒——天目山。那年，我在山中的浙西临中读高中，校中绝大多数师生是从敌占区杭、嘉、湖一带逃亡出来的。我们以庙宇作课堂，以密林作屏障，吃的是杂粮竹笋，住的是竹棚茅房，生活虽艰苦而抗日意志顽强。一天，学校出了布告，要求全校师生服装整齐，精神饱满，准备欢迎黄主席来校作“精神讲话”。

第二天一早，全校师生集合在大庙前的空地上。我们心想,这位三星上将来时必然是全副武装,身佩勋章,昂首阔步,目光炯炯的威武神态。当体育老师的哨子高声一响，并喊了个立正。方校长已陪着黄主席来了。我们斜着眼尽偷看着,总看不到那位雄赳赳的抗日将军,等到一上台经校长介绍后，才知道将军穿的却是一身土布便装，只带了一个勤务兵。黄主席开口就说:“贵校要我来作‘精神讲话’,我看改个名词叫‘精神鼓励’吧! 你们都是热血青年,不愿做亡国奴,从沦陷区逃到自由区来求学,这就了不起呀!”接着,他一再赞扬我们爱国心重,说:“你们虽然一副文质彬彬的气质，但你们充满豪情。‘天下兴亡,匹夫有责’,希望学有所成,立志报国。”他又鼓励我们说:“你们是高山青年老虎,老虎被困饿了是要吃人的,日寇包围我们,胆敢爬上山来,就把它吃个精光。”这时满场师生情绪活跃。黄主席谈到战地办校时,他说:“学生成绩的好坏,与学校物质条件有关。我看贵校物质条件差又不差,学校聘来不少名师嘛。所谓物质条件,不单指课堂膳堂、图书仪器之类,连校长教师也属于物质，不过他们是活的物质，是人嘛,一种‘高级动物’的物质(满场师生大笑起来)。名师的脑筋和教育方法好,就代替了图书仪器。”黄绍竑讲话,不时谈笑风生,轻巧随意。最后他说:“浙西现有几个师的广西兵。广西兵是

怕水不怕山的。天目山虽高，广西兵是爬山虎，善于山地作战。我已对师团长下了死命令，如果敌人胆敢进攻天目山，要不惜牺牲守住，否则，不要来见我。我们要保卫天目山，保卫青年学生安全地在这里读书，造就出大批人才来。”

黄绍竑是保定军校毕业生，善诗词文墨，是当时军队中的一名儒将。

马君武眷恋故土

谢　逸

1903 年马君武到日本留学，认识了孙中山；1905 年孙中山组织同盟会时，马君武参加筹备工作，起草章程；同盟会成立，马君武任秘书长，积极从事革命活动。1906 年，马君武到日本南部的伊豆半岛观光，那儿是日本有名的旅游胜地，青山如画，海水碧柔，树木参差，瀑布飞泻。马君武身处幽境，但心情却像海潮一样起伏不已，于是写下了《伊豆杂感》诗。其中的一首是：

去国离家人寂寞，断桥流水月昏黄。
远闻拍岸海潮急，自倚小楼思故乡。

别人红灯绿酒，寻欢作乐，马君武却倚楼怀想那可爱的家乡，忧思祖国正在涌起的革命浪潮。1910 年他到了欧洲，那里街市繁华，纸醉金迷，但所有这些，都迷不了马君武，他仍是想念故国，又写下了《劳登谷独居》诗，第二首是：

河流赴沧海，地球依太阳。
栖栖为远客，时时思故乡。
万里桂山远，千里漓江长。
乘风好归去，胡为尚未遑？

他感到“鲁酒难消渴，吴歌最断肠”，日日夜夜，盘绕在他脑海中的只是桂林斗鸡山下的豆麦，还有訾家洲外的稻荷。

马君武寻情入圈套

苏锦元

1944 年桂林疏散前夕，笔者在广西大学朋侪家中，有幸得遇马君武在日本时的同盟会同志和好友刘禺生。刘老前辈曾与我言及马君武在日寻情中计之罗曼史，因觉有趣，特撰文记之。

1905 年，梁启超的大弟子罗孝高在日本横滨主编《新民丛报》。为解稿源匮乏之虞，罗孝高对马君武诡称有粤女投诗丛报，编者誉其才色。马问曰：“见过此女否？”罗答道：“乃我表妹也，不久即东渡扶桑留学，你若为丛报多撰稿，一定介绍予你。”

之后，罗孝高又杜撰两诗予马，诓称系粤女所作。这两首诗，缠绵悱恻，文笔绚丽，马读后大为感动。自此，马君武为《新民丛报》撰稿不辍。

不久,罗又拿来粤女的芳笺和玉照,煞有介事地对马说此女就要来横滨云云。马对此竟深信不疑，遂把自己的照片和特地买来的日本名点心一并托罗务必转交此女。罗说道:“赐稿不多,女来亦不介绍。”君武诺诺。

时适罗孝高之挚友刘禺生从东京来横滨晤罗，罗拿出点心款待之:“此乃君武的柳丝糕和花枝饼,先请你尝。”刘听罗道出个中就里之后,笑得前俯后仰。

刘禺生返东京后即访马君武，讹说粤女已抵横滨。君武情急,漏夜赴横滨寻见罗孝高,非要见此女不可。罗见无法再隐瞒,只得将实情相告并求马宽恕。君武问:“照片从何而来?”罗答曰:“此乃广州娼妓,诗稿也是杜撰之作。”马怒不可遏,拿出照片和诗稿撕成片片,天女散花般掷向罗孝高。君武为人正直,但性情暴躁,受此捉弄,似未解恨,遂又挥拳朝罗孝高击去,罗理亏胆怯,只好惶愧而遁。

李惠堂在桂林潦倒

张铁汉

1941 年 12 月,太平洋战争爆发,日寇南进。球王李惠堂和他率领的足球队员郭英祺、侯金海等在香港、新加坡不能立足,乃回归祖国,辗转来到桂林。当时桂林群众不喜爱足球运动,李惠堂有看家本领,却乏人欣赏。虽然举行过一次义赛,但无门票收入,境况十分尴尬,李惠堂等人囊空如洗,生活相当困难。幸得胡文虎的公子胡好周济。此时,胡好带着紫罗兰小姐和女佣男仆,再加上李惠堂等人,房租伙食,日支繁重,坐食山空,只好将自己的小汽车卖掉,勉强维持一帮人的生活。

适逢宋子文路过桂林,军委会桂林办公厅李济深主任便通知胡好,叫他去中国银行见宋子文。宋便在银行拨一笔款给胡好。胡用这笔钱同李惠堂等人办了个卷烟厂,生产“蓝带牌”香烟。因桂林无上乘烟叶,烟纸也是由沙坪走私买来的,所以香烟质量低劣,销路甚差。1944年秋,黄沙河失守,桂林紧急疏散,他们的烟厂也倒闭了。李惠堂等跟着胡好向贵阳方向撤退。次年,日本投降,胡好返香港,恢复乃父创办的永安堂虎标万金油和《星岛日报》等星系报纸,不久,胡好在一次从曼谷飞香港途中发生空难逝世,李惠堂随之失去依靠。

林半觉组稿纪趣

沈江东

1938年冬,桂林出版《逸史》月刊,编委推派林半觉向马君武组稿，因半觉在广西省教育厅工作，懂得马的脾气，会摸马的顺毛，使马高兴，那才必有所得。半觉奉命后，用尽心计，马果然答允了，约定第三天清早取稿。

这天清早，马君武的自述《祖母吴太夫人》脱稿，因要外出开会，即打电话到教育厅，刚好厅长邱昌渭接电。马说："我是马君武，你快找林半觉来听电话。"邱一听是马君武，放下了官架，厅长当了传达，楼上楼下到处叫喊，后在大门口碰上了半觉，催着快接电话。马性急地对半觉说："你要的稿子已写好，快来拿，我等着。"半觉知道马是个恪守时间的人，马虎不得，立刻奔出门外去雇车，那知清早没找到车子，只好快步带小跑到了马府，一进门见到马夫人。马夫人说："君武刚来车接走了，等你好久呢?"半觉听后，心想，这下误事了，怎么办?马夫人看出半觉的心事，想起书房桌上有一卷东西，叫半觉进去看看。半觉进房一看，连说："对!我就是来取这篇稿子的。"这时，他在稿里发现一张纸条，写着："半觉迟到，稿子不交。"半觉看了默不作声，拿起稿子赶快向马夫人道谢，奔回《逸史》编辑部，向大家报告了这次组稿的"惊险"经历。《逸史》的同仁听了幽默地说："半觉呀，你一向会摸马的顺毛，这次摸了马的倒毛了，老马已暴跳起来啦！"编辑部里发出一片哄堂笑声。

黄文欢在龙州二三事

李白凤　李耿清

1930年，印度支那共产党成立。越南革命同志黄文欢、高洪领、黄国越、朱文晋等先后来到广西龙州，从事革命活动。

1932年，黄文欢等在龙州南街设立秘密机关，还在龙门乡芭苗村念读屯举办训练班，培养革命干部，受训的越南青年有六七十人之多。

1941年秋，越南党中央特派员李光华(即黄文欢)和一个姓闭的同志为加强中越文化交流和让中国人民更多地了解越南革命斗争情况，除出版越文《民主简报》半月刊(油印，地址在龙江街梁朝芳家，由胡德成编辑)，鼓舞革命斗志，并举办越文补习班外，还曾两次在龙州民众教育馆(即今工商联合会)举行招待会。当时国民党龙州军警督察处处长江华波企图阻挠并采取镇压手段，后在龙州进步青年黄云鹏等帮助下，会议才能顺利召开。当时笔者李白凤系《龙州日报》编辑，李耿清系“龙州银行”秘书，应邀参加会议。会上黄文欢和闭同志先后作了关于越南革命斗争形势的介绍，得到龙州各界人士及进步青年的热烈欢迎和支持。黄文欢还通过李白凤在《龙州日报》上以新闻特写形式报道越南革命斗争的辉煌战果。

从1941年至1945年，黄文欢一直在越北坚持对日作战，进行复国活动，经常在中越边境的龙州、平孟、靖西、雷平(今属大新县)、凭祥以及云南河口、老街等地进行革命活动，终于在1945年9月2日赢得了越南革命的胜利。

黄文树在龙州建越南劳动党海外小组

李白凤　李耿清

1933年，越南劳动党谅山省委书记黄文树(又名雷震)从河内经谅山、同登到广西凭祥、龙州，从事革命活动。当时住龙州八宝街农二嫂(越南人)家，后与林富廷(又名林猛，现南宁地区离休干部)相识。1935年，黄文树在龙州创建了越南劳动党海外五人小组，黄文树任组长，成员有裴玉成、韦德明、陈鸣(梁文芝)和林富廷。任务是组织、联络由越南到龙州的革命同志，进行抗法复国活动，还建立有六个联络站：八宝街农二嫂家，林经犹家，丈梯村欧阳必潮家，那昔潘全珍家和龙江街梁朝芳家。

当时因经济困难，黄文树与林富廷商量，征得欧阳必潮同意，经黄文欢认可，在欧阳必潮住处设一小型铸币厂。仿铸越南辅币五角、一角、五分等三种。因林富廷曾在龙州西街一间金银首饰店当过技艺工人，故仿铸越币，得心应手，从而对越南革命活动在经济上作出了贡献。

莫一凡为“越盟”举办军训班

隆李逵

1941年5月，印度支那共产党第八次中央全会通过了关于准备武装起义和成立争取越南独立斗争同盟(即“越盟”)的决定。1943年，应“越盟”之请，中国共产党党员莫一凡奉派到越南北方，帮助“越盟”举办军事训练班，准备建立越南人民解放军宣传队和正式成立越南人民解放军(越南人民军的前身)。

莫一凡,即陆华,广西人,广西大学文法学院毕业。早年参加革命,1937年参加广西学生军北上抗日，后为滇桂黔边区纵队左江支队司令员。1985年在广西壮族自治区政协副秘书长任上逝世。当年莫一凡入越后,先和“越盟”高平省委委员、朔江县县委书记黎广波(后为越南第十二战区司令员)以及黄国云、陈山雄等人见面,然后由黎广波带到一个叫“勒海”(音译)的大森林。那里是“越盟”高平省委领导机关所在地,也是当时印支共中央领导机关所在地。当时,莫一凡会见了黄文欢、范文同、武元甲、武英、邓文甲等越南领导人。

不久,“越盟” 在朔江县附近开办了第一期军事训练班,由黎铁雄(曾就读于中国黄埔军校)任班主任,莫一凡任军事教官,黎广波兼翻译。培训的三十多名学员大多为越北各地方干部。军训班在林中辟空地作操场,盖茅棚为宿舍。除进行操练外,由莫一凡主讲朱德著的《谈游击战术》。训练月余结束,学员们即奔赴越北各地宣传群众，所到之处，均受到越南人民的热烈欢迎。接着办第二期军训班,但因越奸告密,训练地遭侵越日军偷袭,不得不提前结束。

1944年春节前，莫一凡与军训班的越南干部又到北江省的一个大山里举办了第三期军训班,然后返回“勒海”大森林,和范文同等住在一个大山洞里。“越盟”高平省委书记授予莫一凡一枚金黄色五角形的金星纪念章。

1944 年冬，莫一凡复在朔江县全权负责举办了第四、五、六期“越盟”军训班。

1944 年 12 月 22 日越南人民解放军宣传队在高平省原平成立，不久又正式宣告成立了由武元甲领导的越南人民解放军。

莫一凡在越南期间不仅为“越盟”举办了军训班，而且直接参加了越南人民的抗法、抗日斗争，历任越南人民解放军谅山支队指挥员、谅山省人民委员会军事委员、越南卫国军谅山中团指挥员、太原第一战区参谋处处长、第一战区参谋长、第十二战区参谋长等职务，为越南人民的独立解放事业作出了重要的贡献。

潘古河内画胡志明像

隆李逵

1945 年，潘古(后为中共左江地委委员、左江地委宣教委员会主任) 入越南谅山省避难。1946 年 8 月，中共桂越边临时工委派梁游(后为滇桂黔边区纵队左江支队政治部主任)入越找到了潘古，请他到河内与丘冰(后为滇桂黔边区纵队左江支队政治部副主任)等筹办侨报和书店。

潘古到河内后，住在行帆街二十三号金龟洗衣店。该洗衣店是当时越共中央组织部长黎德寿的联络点。

当时越南民主共和国虽已宣告成立，但胡志明主席的画像还很少，远远不能满足越南人民的需要。潘古得知这一情况后,便找一张胡志明主席的像画了起来。他的美术功底很好,上初中时便在上海的《中学生》刊物上发表过一幅自画像。像画好后,由一位专门搞版画的木刻工作者精心刻制，然后印出一张张胡志明主席的画像,拿到街上去展出和销售。那画像中的胡志明主席胡须飘拂、精神饱满、两眼炯炯放光,淋漓尽致地表现了胡志明主席奕奕神采，深受越南人民欢迎。

在此期间,潘古患急性肺炎病倒了。越南党组织派了最好的医生给他治疗，每天还送给他五六个法国进口水果,房东天天为他煲肉粥、炖肉汤,使他身体很快康复。

不久法军大举进攻河内,潘古转移到谅山,后来回到祖国直接参加左江地区的游击革命斗争。

胡伯伯在广西二三事

蓝启渲

中越两国山水相连,两国人民情同手足,心心相通,胡志明主席在广西的一些事迹,也深为人们喜闻乐道。

1938年底,正是抗战烽烟四起之时,胡志明作为八路军的二等兵,担任了驻桂林的某单位俱乐部主任。

1940年秋冬之交,胡志明接到越南同志的报告,从桂林坐汽车到南宁,再从南宁乘船往田东。同船有不少越南乘客,胡志明当时扮成中国新闻记者,对越南人只用法语会话,由范文同译成越语,胡伯伯对乘客关心得无微不至。一位越南妇女口渴了,要喝河水,胡伯伯用法语说喝生水会肚子痛,劝她买甘蔗吃。有一位越南乘客抽烟不小心,让烟头烧着了衣服,胡伯伯急忙小声用越语说:"烧了!烧了!"忙中露了馅。后来每谈起这事,仍让人忍俊不禁。

有一年,胡伯伯在广西度春节。越南同志按照侬族(越人称壮族为侬族)风俗分头到村寨里给每户人家拜年,到侬族人家里喝酒庆贺。胡伯伯去拜年时,身穿侬族人民常穿的蓝靛色衣服,拿着拐杖,裤腿卷得老高,使人感到平易可亲。谁家请他去吃酒,他都带去亲手写的"恭祝新年"的红纸斗方,这深情的祝福更使壮族同胞永远难忘。

1954年春夏之交,在奠边府战役的激烈战斗中,胡伯伯又一次来到中国军事顾问团的驻地看望韦国清同志,不巧韦国清同志到前线去了。第二天,他给韦国清同志送来了一首亲笔写的中文诗:

百里寻君不见君，马蹄踏碎岭头云。

归来偶过山梅树，每朵黄花一点春。

诗中洋溢着革命家的深情厚谊。

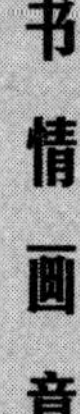

书情画意

施献璜书法撷趣

施本锴

施献璜字宜周，号璠溪，广西横县横州镇人，生于同治壬戌元年(1862)。光绪辛巳三次科试冠军，戊子补廪，肄业于广州广雅书院，癸巳乡试举人，甲午以内阁中书到阁候补。光绪二十一年(1895)5 月，康有为联合在京举人上万言书(即“公车上书”)，施是签名者之一。后任博白县知事，广东高州、雷州各知县考察等职。

施喜爱临池，自幼侍旁先辈，面授手挈，耳濡目染，心领神会，博采众长，融合新机，创造出自己独特风格。后进入仕途，虽政务烦累，墨兴益浓，工余饭后，犹纸笔逍遥，潜修益励，为两广闻名的书法家。他的字无论巨细，莫不善书，楷习颜鲁，得其三昧，临书甲骨、石鼓、汉隶碑帖，善得其势，结构妍丽遒劲。岣嵝篆隶，随意挥洒，坐立行书，悉得圆熟。大草十七帖，精妙入神，有运笔成风之誉。金石篆刻，力追秦汉，吸取元清，刀法圆润浑厚，章法无拘，奇变多姿。他的书法、刻字，融书、画、工艺于一体，赢得爱好者的青睐，是以索之者到处逢迎，趋承恐后。他一生墨宝极丰，至今北京故宫博物院还藏有他的作品。

施从政之后，经济情况一直不好。尝闻友人向他借款，他书五十三字条幅到当铺得银五十三两。横州原“益寿堂”药店招牌是其所书，字甚遒劲，士林咸称，书写过程饶有趣味。店主知其喜啖狗肉，邀其赴宴，肉香扑鼻，迟未开席，故称候一人为双亲写祝寿语，施闻言即挥毫书“高堂益寿”。翌日店主持招牌造访，施连呼上当。即以此观，可想其书法之梗概矣。

王拯与《媭砧课诵图》

陈铁生

近代柳州名人王拯，字定甫，原籍浙江山阴，其祖时迁居桂林。王拯一岁丧父，随嫁到柳州的长姐度日，遂入籍柳州。时姐夫已病殁，姐弟二人相依为命。其姐对王拯功课督促甚严，每日一早即催醒就家园中树下诵读，本人则在一旁捣衣陪伴。后王拯中进士赴阙任京官，而其姐远在南方，为不忘大姐的庭训，并借以警策自己，他请一位朋友画了一幅《媭砧课诵图》(媭为古代南方楚人对姐姐的称呼)。图成，遍征题咏，其故交友好如曾国藩、朱琦、彭昱尧、龙启瑞、邹懿辰、冯志沂、陈祖望、祁嶲等均欣然命笔。

王拯故后，此图归其子王浚中珍藏。康有为1894年到桂林讲学，浚中从其游，将图相示，康有为观后曾题二绝：

其一

风节文章独秀才，通家孔李服丰裁，
岂知诵读孤童日，却自秋砧媭女来。

其二

梧桐秋影月光寒，砧响书声共夜阑，
我亦秭归资诵读，遗经泪湿不堪看。

不久浚中逝去，图传到其从弟王会中手。二十二年后会中再遇康有为，康重睹旧物，十分感慨，再次题辞曰：

此图足见王定甫大理之姐弟孝友行义，其书画题辞皆一时名士，备极妙选，可传于后也。王氏子子孙孙宜世世珍护之。丙辰冬日南海康有为。

于今距康有为第二次题记《婴砧课诵图》又七十余年矣，世事沧桑，当年康氏嘱王拯后人珍护之图，不知尚存人间否？

画家李翰华轶事

李鸿渡

永福李翰华，别号梅仙，是清末颇有名气的书画家，《中国绘画史》及《中国画家人名大辞典》皆有介绍。李翰华性潇洒，风流蕴藉，豪放不羁。

1911 年盛夏，李翰华客居桂林，一日凌晨在漓江边散步，闻船家高呼："下梧州的上船啰！"李顿起游兴，随众人上船。急流轻舟，次日晚，抵梧州，船家向李索船资。李翰华身无分文，便问："这船往广州否？"答云："明日凌晨开广州。"李随即道："我到广州即付你一切费用。"船到广州，船家又追索。李翰华从容道："钱是不少你的。"即嘱其往市上购来宣纸，又向别人借来笔墨，趁着酒兴，当场泼墨挥毫，画就墨梅一幅，叫船家拿去见广州一个有名的官员。官员看了此画，大加赞赏，当即付十两纹银与船家带回，李将银两都送了船家。

孙中山梧州题画

李晃春

先父衡宙公于清光绪末年，奉派到日本考察实业，其时正值同盟会成立，故先父在东京结识孙文、蔡元培等人，过从甚密。民国后亦时有交往。

二十年代初，孙氏拟以桂林为北伐大本营，途经梧州，曾到我家小坐。适有邑人严鲁卿为先父作画，写墨竹四屏，严为当时画竹名家，其作品多有供奉于大内者。孙氏见其中一幅尤为颀秀挺拔，惟落款处仅署鲁卿二字，留有空间一角。孙氏爱不释手，即取笔写下四言四句云：

抱凌云志，凛傲霜姿，

允以君子，虚心我师。

并署“孙文书”三字。此画为我家珍藏越半个世纪，不幸于“文革”期间遭毁。

徐悲鸿为张大千和菡君画像

朱家栋

我父朱葆慈字德甫，又号卧云外史，长于金石书画，擅鉴文物，曾执教北京美术学院国画系达廿年，以笔耕为生。亲友往来大都同道中人，如名画家齐白石、徐悲鸿、张大千、王梦白、陈半丁、汪慎生和母舅陈少鹿等。

记得我中学将毕业的一天（大约1925—1926年间），我由校返家，见餐桌上摆着酒菜、生果。父亲的画室静悄悄的，进去一看，只见大千伯端庄地坐在转椅上，悲鸿伯正在一丝不苟地挥动画笔……周围的人都默不作声，只是偶尔相互点头，不敢惊扰。一会儿，悲鸿伯放下画笔，一张仪态万千、神采奕奕的大千伯画像便跃然纸上。大千伯欣喜地把画像钉在墙壁上，众人交口称誉。大家旋即步入餐厅围桌而坐，酒过三巡，父辈们正谈笑风生之际，我八岁的菡君小妹放学回家，见到悲鸿伯为大千伯画的像，就一头扎到悲鸿伯的怀里，嚷着要悲鸿伯也替她画幅像。悲鸿伯一向疼爱我这天真烂漫的小妹，这时恰好厨子端来了两笼热气腾腾的饺子上桌，只见悲鸿伯兴致勃勃地起身走进画室，拿出画板、画纸和画笔，笑着对菡君说："快吃饺子，伯伯这

就给你画像。”

于是我小妹那张口吃饺子的画像在悲鸿伯神笔疾走、快速的勾勒下，不几分钟就完成了。真是维妙维肖，栩栩如生，令人叫绝。

如今，这些父辈巨匠，均已作古，我也八十有四，似此画坛趣事，虽属明日黄花，但回忆追记以志不忘。

徐悲鸿的油画《广西三杰》

谢和赓

1936年，徐悲鸿大师在南宁军校操场，给李宗仁总司令、白崇禧副总司令和黄旭初主席绘巨型油画《广西三杰》，他们各骑骏马一匹奔驰而来，笔者曾亲临操场观看，十分壮观。白氏的马是他每天常骑的马，李、黄两氏的马，是由军校教育长刘士毅选出最强壮而驯顺的两匹。事先李、白、黄并肩试骑跑遛过几次，并在三马停跑时，由管马人员略加训练，使它们能在有人骑上并集合在一起时听从指挥。这样才由徐大师先把三位并肩骑在马上的轮廓绘出，一共画了四次，每次约花一至两小时。以后徐大师又花了三个月时间才大致绘成，再经过半个月的精心着色，遂告完成。全幅长2.42米，高1.98米，曾在桂林广西省立图书馆展览过。广西解放时，文

物负责单位十分重视此一巨制，将其运到北京。

徐悲鸿将王莹画入《愚公移山》

谢和赓

1939年9、10月间，徐悲鸿居住在新加坡侨领黄曼士居士家。他用三个月时间绘制了一幅著名油画《放下你的鞭》，把王莹誉为"人人敬慕之女杰"，又花了四个月时间，画成巨幅油画《愚公移山》。这两幅油画，都是徐悲鸿自认为满意的作品。在《愚公移山》中，他把王莹画在愚公之旁。画中所有人物均穿着古装，只有王莹是现代服装。徐悲鸿画成后，向王莹、陈嘉庚、黄孟圭、黄曼士兄弟等侨领说："王莹女士自青少年时代便有愚公移山的顽强精神，我这次把她画入《愚公移山》内，殷切地期望她继续努力，发扬愚公的精神，奋斗不止，成为一个对国家对人民更有贡献的艺术家。"

王莹受到徐悲鸿大师的鼓励，衷心表示对大师的感谢，永远不忘大师的爱护和策勉。

纪念半塘老人的一次集会

朱荼文

王鹏运字幼遐，自号半塘老人，是晚清桂林籍词坛大师，清光绪年间曾任监察御史。庚子年(1900)八国联军入侵北京，王氏和著名词人朱祖谋、桂林籍状元刘福姚，避寇宣武门外教场头条胡同家中，共同写成《庚子秋词》，忧国忧时，情见于词。后来王病逝苏州，归葬故里，墓地在东郊三里店半塘尾(今育才小学内，已列为市重点保护文物)。

1941 年旧历六月二十九日，是王鹏运逝世三十六周年纪念日。为纪念这位乡贤，广西省临时参议会议长李任仁和诗人朱荫龙邀请知名人士，在杉湖畔王氏故宅集会。

时政坛耆宿章士钊恰在桂林小住，也应邀参加纪念集会。签名时，李任仁请章士钊带头，章则请年事最高的龙积之。龙老谦让再三，章士钊情不可却，便率先在横幅宣纸上写下："旧历辛巳六月廿九日，同人为王半塘先生逝世三十六周年，集于先生故宅，士钊适游桂林，忝与盛会，辄先为题记。长沙章士钊。"耄龄老人龙积之随之签名，林素园、盛成、阳叔葆、任中敏、白鹏飞、陈志良、李任仁、万武、苏康甲、区文雄诸位

继之,时年三十岁的朱荫龙签于最末。

王氏故宅遗址的房子已残破，堂屋陈设简陋,正中挂着仓促绘就的半塘老人像。李任仁首先作简短的讲话,并对章士钊的莅会表示欢迎。章士钊的讲话表达了对半塘老人的崇敬。龙积之老人既和半塘老人有过接触,又于20世纪初轰动一时的上海《苏报》案与章士钊素稔,他回忆往事,娓娓动听。接着,与会者诗词唱和,章士钊填有《水龙吟·王半塘逝世三十六周年集席上作示朱荫龙》:“桂林深处危楼，词人空有当年宅。而今宋玉,临江换得,杉湖清绝。况邓同乡,郑朱同轨,风流都歇。问谁标词派,家园子弟,知重大,还和拙(荫龙本半塘词须重大拙之说,标为临桂词派)。钟缶新声何别,便惊人、孤怀难绝。平生只在,悲秋庚子,伤春吴越。三十六年,荆驼几许,未烦躬阅。傥魂归同尝,残桃断苇,淡烟寒月。”

这次集会时,笔者还是一个中学生,叔父朱荫龙命在集会上敬茶奉烟。当年章士钊等人签名情景犹历历在目，而今签名者只有盛成教授硕果仅存了。

丰子恺住两江趣事

江　东

抗战期间，丰子恺一家从浙江逃难到了桂林，执教桂林师范学校，住两江镇谢四嫂家里。当时，不少人登门请教，两间简陋的小房里，人来人往，十分热闹。村民望着这个外乡人，弄不清他是干什么的?还是房东四嫂嘴快，她向丰先生夫人徐力民问道："老板娘，你家这么多客人，这么多信，你先生每天这么忙，现在干的什么好公事呀！"力民笑了笑顺口说："我家先生在教国画这公事的。"四嫂听了羡慕地说："唷!你先生在叫'国华'这公司做事啊，嗬！这是城里新开的大公司噢！难怪有那么多人，那么多信，都抢着要来订货了。"这下弄得力民侧过脸抿嘴而笑。丰先生知道这事后，望着力民风趣地说："哈！力民呀，你倒很不错，先当上老板娘了，那我呢?当然是老板了。我们都是富家人了，好的，我的'抗战牌漫画商品'，今天下午又要和同学上街推销，我们也是国难时期的'暴发户'了。"

丰先生与我沈家是同乡世交，建国后，我从桂林到上海拜谒先生时，先生记忆犹新，偶又谈及在桂林时的这件趣事。

梁启超等赏菊题诗

李晃春

民国2年(1913),梁启超组成进步党(由原共和党、统一党、民主党合并为进步党),并在南宁设立分部,梁任理事。

同年秋, 在南宁的进步党分部大院菊花盛开,适梁氏来邕视事,同仁大摆菊花宴,并摄影留念。照片中除进步党在邕成员外,还有梁氏、李衡宙、苏研农等名流。人们零散地立于菊花丛中,上方天幕空白处,缀有咏菊花诗四首,今录其中两首:

其一　　苏研农

新造河山二度秋，邕南风景胜中州，
黄花满园离人老，聊以飞觞涤旧愁。

其二　　梁启超

菊花天里托留连，沪上秋痕在鬓边，
半世消磨余傲骨，萧疏相对有时贤。

先父衡宙公言，当时北京酝酿一场政治风暴，企图复辟帝制的袁世凯正在紧锣密鼓地筹划着，梁氏诗中对时局自然有感慨寄焉。

胡适洞房考妻

李晃春

早年胡适报考留美生时，父母为他聘下一世家女子。此女幼年曾缠足，但颇有才女之名。胡适对这门婚姻，本来一百个不情愿，但怯于乃父“不完婚不得出洋就学”的威胁，不得不允诺。胡归家欲一睹此女。岂知未婚妻拒不相见，胡竟徒劳往返。胡虽怏怏不乐，但其终未敢正面拒婚也。

翌年，出国前夕，家中又电催其回家完婚，曰如不完婚，不但不准留学，亦不准滞留北京，只许归家就读。胡无奈，只得硬着头皮回家，去当新郎。

新婚之夜,胡适揭去新娘头盖,见此女温文可人,颇觉欣慰,但对去年遭拒见仍耿耿于怀。欲一试此女以消消气,因信口念出《如梦令》半截曰:“天上风吹云破,月照我们两个。问汝去年时?为甚闭门相躲?”新妇不假思索,应声对曰:“谁躲!谁躲!那是去年的我。”胡适闻之,十分钦佩,忿忿之情顿失。

不久,胡适就道留美,夫妻书信往来从不间断,终生相敬相爱。

先父李衡宙二十年代曾与胡适共事,居家闲叙时,每每述之,因此首《如梦令》通俗易懂,如同口语,余甚珍之。

李济深和诗明志

李　昭

1934年初,十九路军和福建人民政府在蒋介石兵力压迫下失败,李济深和陈铭枢、蒋光鼐、蔡廷锴等出走香港,后来,曾回苍梧大坡山料神村故居小住。李济深乡居期间,有时以钓鱼为乐。

与大坡山毗邻的广平乡城坦村有一位塾师蒋鸿藩,是清末秀才,与李早年相识,间有诗词往来。蒋知李因闽变失败在乡间避难,便写了两首咏渔诗赠李。

其一

风满蓑衣月满舟，吴头楚尾任勾留，
一竿钓尽长江水，不管清流与浊流。

其二

一把钓竿一钓台，子牙载去子陵来，
磻溪不比严溪稳，谁识高才胜霸才。

蒋在诗中以西周的吕尚(姜子牙)和东汉的严光(子陵)作对比，贬吕扬严，意在劝他学严光隐居，不再过问政治。

李济深读蒋诗后，即和诗两首，以明心迹。

其一

箬笠蓑衣泛小舟，五湖四海任停留，
垂竿静看风云变，心似江涛逐水流。

其二

渭水河边设钓台，相传吕尚到斯来，
鱼钩直直人讥笑，惟有文王识将才。

李济深在诗中肯定了吕尚的积极进取精神，表明自己不因失败而气馁，静观时局变化，以退为进，求得新的发展的心志。李的和咏渔诗在乡间传诵一时。

1935年春，李济深再次赴港，与中共党员宣侠父等组织"中华民族革命同盟"，当选为该同

盟的主席兼组织部长，为抗日救国而奔走于港、梧、邕等地。

李宗仁将军的两首诗

钟文堦

李宗仁将军戎马一生，虽有《言论集》和《回忆录》等存世，而诗作却极罕见。据李将军胞侄常谦兄从香港来信，出示昔日在湖北老河口时亲聆李将军“闲谈抗战时事迹，得其口述诗二首”。

其一曰：

台儿庄大胜

戍楼拂晓角声悲，誓杀倭奴去不回；
刀砍寇头十万颗，台儿庄上祭军旗。

此乃1938年4月台儿庄大捷后之作。诗中反映了李将军对胜利的喜悦，及在战前“誓歼倭奴”的决心。

其二曰：

哭张自忠将军

英雄肝胆照乾坤，马革裹尸为国魂；
古鄭战场血泪洒，天愁地惨哭将军。

此诗作于1940年5月随枣之役以后。当

时，张自忠将军在南京几被人诬为汉奸而遭审判。李宗仁深知他的委屈，为他在蒋介石面前辩白，始得重率所部开赴抗日前线。张自忠将军深感李的“再造之恩”；而李则极爱张的“忠荩之忱”。随枣之役，张将军英勇战死。李宗仁将军闻耗，悲痛之余，深感张自忠“杀身报国”和以死报知己的仁人志士德行，遂有是作。

李任仁赋诗砭陋俗

李海楼

1944年日寇陷衡阳后，沿湘桂铁路南侵，9月桂林疏散，先父李任仁赴蒙山，拟下昭平与何香凝、梁漱溟、陈劭先、陈此生、千家驹等汇合，顺流东下到梧州大坡山同李济深开辟敌后民主解放区。9月29日白崇禧突然到蒙山视察，在县府邀见李任仁、白鹏飞、廖竞天，劝阻东下昭平。李等人不得已转徙到桂西凌云县利周乡爱善村。

李任仁居利周乡达七个月，除两度因公赴百色外，均在山村度过。李氏为了解民情，尝步行周围数十里访贫问苦，足迹踏遍壮乡瑶寨，感触良多。尤见当地壮家妇女勤劳非常，除参加劳动生产外，还承担一切家务，上山重活也是妇女所为。而男子反而带小孩玩耍，打纸牌消遣时日，清闲自在。李任仁有感于此，写了《村妇》一律，对该地妇女深表同情，对陋俗则痛加针砭。诗云：

日出作工暮未宁，边区村妇苦难形。
斫柴山上穿云雾，汲水池中搅月星。
方趾圆颅原一样，重男轻女总宜摒。
何当教化倡明日，一洗浇风反正经。

记王莹给周恩来的诗

谢和赓

1949 年，国内战争急转直下，解放大陆，已经指日可待。夏衍曾要马季良(即唐纳)去美国时，带一长信给我，催王莹和我迅即准备返国，以便有人接收国民党的一些单位。同时，周恩来又派人两次到纽约要我们尽快回国。周先生还要刘仲容兄三次写信叫我们回国参加国是会议(即第一次政治协商会议)。当时，我们正与进步的华侨主持《纽约新报》，受到国民党反动分子的威胁，他们要夺占这个进步报纸的董事会和主编的位置。我们一时未找到适当的接收人，因此，不能不在经济极为困难的情况下，暂时顶住了反动派的夺权。

当时，我把情况写信给刘仲容(他是我地下工作时的党的交通员)，向中央提出四十五点有关党政军建设的刍议，王莹附了诗一首给周恩来先生，衷心表示对党的忠贞和对虚荣的看法：

石榴花常艳，虚名昙花荣。

爱国比屈萧，对党慈母忠。

后来，我们争取回国，受美国麦卡锡反动势力的迫害，坚持要求我们加入美国籍，并用种种利诱威胁的手段，把我们投入监狱。幸得美国文教界的救援和新中国政府的爱护，我们向美政府提出控诉。同时，赛珍珠又写信给美国最大的报纸——《纽约时报》，攻击美国政府迫害优秀的留学生，美方惧怕舆论的谴责，不得不迅速地非法地把我们驱逐出境，这样，我们才得以回到祖国怀抱。

王莹改裴多菲诗

谢和赓

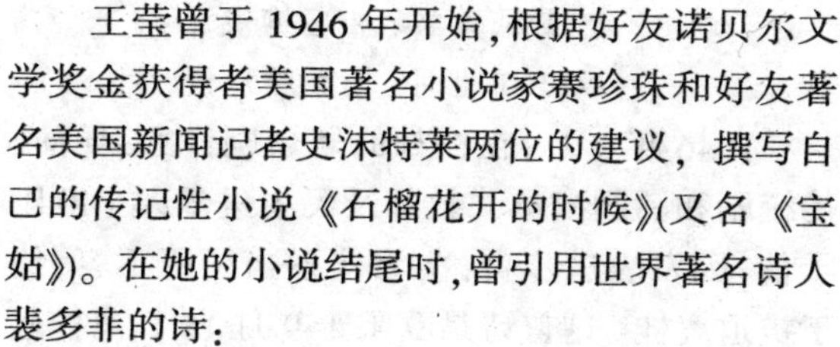

王莹曾于 1946 年开始，根据好友诺贝尔文学奖金获得者美国著名小说家赛珍珠和好友著名美国新闻记者史沫特莱两位的建议，撰写自己的传记性小说《石榴花开的时候》(又名《宝姑》)。在她的小说结尾时，曾引用世界著名诗人裴多菲的诗：

生命诚可贵，爱情价更高，

若为自由故，两者皆可抛。

王莹把这首诗，改了三处，共四个字，成为她别有所见的诗句：

生命至可贵，爱情价亦高，
若为革命故，两者皆可抛。

王莹的看法是“生命”是人类最为贵重的，爱情则是次要的，但为了“革命”，则生命与爱情都是可以牺牲的。她这意见，受到周恩来、董必武和其他一些文艺界师友们的欣赏。

在王莹和美国著名作家浦爱德小姐(I·Pruitt)合译《宝姑》时，浦小姐及爱泼斯坦夫妇都对王莹改裴多菲诗句的想法，大为赞赏。

欧阳予倩赋诗别桂

党 明

不是寻常别，终违白首心；
虚名累清思，微意作愁吟。
岂畏风萧索？难忘柳浅深；
漓江江上月，几度照浮沉。

1946 年 9 月，在桂林的著名剧作家、导演、传统剧和话剧演员、教师及民主进步人士欧阳予倩，因发表进步言论，为桂系当局所不容，终于被迫离桂。这首诗是欧阳于 9 月 18 日离桂赴沪之前，偕夫人刘韵秋、女儿欧阳敬如应艺术馆全体同仁在该馆音乐厅举行的送别茶会上即席吟咏的。其离情依依，别绪激昂，诗中“终违白首心”、“岂畏风萧索”句，尤发人深思。

1939年秋至抗战结束，欧阳任广西艺术馆长及中华全国文艺界抗敌协会桂林分会主任，并与马君武等从事桂剧改革工作。广西艺术馆集话剧、音乐、绘画等艺术领域中的名宿俊彦，从事艺术活动，是抗战中桂林文化城的一颗灿烂的明星。

抗战胜利后，我国遭受严重灾荒，美国曾运面粉及救济物资来华赈济。

1946年“五四”纪念日，桂林文协和广西师范学院举行纪念会。欧阳予倩在会上发言指出：“美国运救济物资来华，其目的是企图控制中国，把中国变成它的殖民地。”不料广西当局竟歪曲、窜改欧阳的讲话说：“美国救济面粉有毒，劝大家不要吃。不吃，就是要把大家饿死！不知是何居心？要求把面粉化验，倘验不出毒，就要欧阳等人负造谣破坏的责任。”这实际上是对欧阳等民主进步人士打击、迫害的信号。8月初，欧阳去上海，在上海对《新华日报》记者发表“反对内战，反对独裁，要求民主，要求进步”的谈话，重庆《新华日报》登了出来，桂系当局见报后十分恼火。8月中旬欧阳从沪返桂，《中央日报》(广西版)副刊发表抨击欧阳的文章。欧阳即写了一个书面讲话，解释在上海对《新华日报》记者发表谈话的本意，送请《广西日报》发表，但该报按照桂系当局的指示，拒不发表。至此，欧阳便以回

家侍母为由辞去艺术馆馆长职务。

谢康悼王力父亲诗

谢朴生

现居住台北的谢康先生，原任台湾东海大学客座教授等职，系广西柳城县人，今已年过九十。

谢康早年就读法国巴黎大学，获文科博士学位，与著名语言学家王力是同窗好友，交往甚笃。王力的父亲为旅居槟榔屿的华侨。1932年王力回国后任大学教授，其父不久亦归国。1942年谢康在昆明西南联大任教授时，曾与王力见面。后王父卒于乡，谢接讣文，率成绝句寄王：

（一）

巴黎犹忆荣归时，报道槟屿省令翁。
想见趋庭承教泽，一门风雅乐融融。

（二）

十年别后惊初见，联席昆明话旧时。
倍仰灵椿仁惠德，恩添乡里作良医。

(三)

台莱原共祝遐龄，忽报噩音陨寿星。
感慨岂因哀启语，旧邦耆宿益凋零。

其事、其诗、其情、其感，足见谢王交往之深。

1949 年秋，谢康赴香港珠海学院任教授，从此与大陆失去联系。两岸间接通邮后，谢康先生于 1988 年春寄函笔者，嘱查询王力先生情况，尚未知王已于两年前谢世。

《笈云草》

赵师观

抗战前夕，先父贲园公在武汉任职期间，曾在古旧书摊上购得《笈云草》诗集一部，系思想家王夫之的次子王敔(字虎丘)所著。

该诗集中有诸多地方介绍了王夫之的进步哲学思想和参加抗清斗争的事迹，是研究王夫之的一部有重要价值的参考书。据当时某些行家研究考证，王湘绮在编《船山遗书》以及有关研究王夫之的论著中，都没有涉及这部诗集；并且其中还有两首十一言古诗，是迄今为止发现的惟一多言诗，因此该诗集实在是一部不可多得的“孤本”。

嗣后，抗战爆发。随着武汉撤退、长沙大火，家中藏书损失殆尽，但该书及其他一些珍本则随家辗转逃亡，因而得以保存。抗战胜利后，为保存文化遗产，先父曾先后函请北京图书馆及上海商务印书馆商洽重印，前者愿高值征收，后者则称八年浩劫之后，百废待兴，一俟条件许可则愿重印。岂料内战烽火复燃，事仍搁置。建国后，由于政治运动频仍和对“崇古”思想的批判，此事更不便提。《笈云草》在“文革”中被红卫兵当做“四旧”抄没，“四人帮”垮台后在清退抄没物资时，虽经有关部门认真查找，终未复得。

三十年代的南宁大夏书局

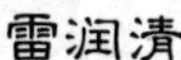

雷润清

大夏书局位于南宁市兴宁路东侧，与同街的强华书局，同为当时广西省会南宁最大的书店。强华主要出售教科书、旧小说、书画、文具之类；大夏书局则专门出售书籍杂志，不营他业。

1931 年“九一八”事变和 1932 年“一二八”事变后，南宁学生和全国学生一样抗日热情高涨，而广西当局亦以抗日相号召，不少进步人士来到广西传播马列主义，青年学生阅读马列著作和进步作品的热潮日益高涨。虽然南宁高中和南宁初中的图书馆也有一些进步书刊，但远不能满足青年学生们的迫切需要。

此时大夏书局应时地从上海买来了新生命书局、辛垦书店、昆仑书店、神州国光社、生活书店等出版的马列著作中译本，马列主义的通俗读物，苏联十月革命、党内纷争和第一个五年建设计划的著述及高尔基等的作品；中国社会史问题论战的杂志，鲁迅的杂文，茅盾的小说，巴金的《家》《春》《秋》，田汉的戏剧，郭沫若的诗集和著述等。后来抗战深入，抗战文艺书刊和青年们喜爱的《自修大学》、《读书生活》等等，都大量向读者推销。

每逢晚上，尤其是星期六晚上和星期天，青年们便拥挤在大夏书局翻阅着新到的杂志和书籍。那位高个子的胖老板，衔着烟斗，接待着前来购书的青年。

桂林的三户图书社

蔡定国

冯玉祥将军深知军事救国的重要，更懂得文化救国不可忽视。抗战期间，他撰写了大批诗文，鼓舞军民斗志。1938 年 4 月，冯玉祥在桂林创办了三户图书社。名为“三户”，是取“楚虽三户，亡秦必楚”之意。

"皖南事变"后，生活书店桂林分店被广西当局查封，人员和图书便转入三户图书社，经理是贺尚华，社址设在中山北路。

三户图书社出版发行了不少宣传抗日、鼓动革命的新书，有冯玉祥将军的《抗战新歌选集》、《打胜仗的方法》，有胡风主编的《世界文学译丛》中的《被开垦的处女地》、《坏孩子和别的奇闻》、《巴尔扎克短篇集》；该社还出版了田汉的五幕剧《秋声赋》，特伟的漫画集《我控诉》，艾芜的小说《冬夜》，艾青、田间、臧克家的诗著《诗论》、《给战斗者》和《向祖国》等等。这些作品针砭时弊，跳动着时代的脉搏，直接起到了为抗日救亡服务的作用。

三户图书社还经营图书发行业务，除总经售桂林出版的《广西妇女》、《文学创作》、《文艺杂志》、《翻译杂志》、《现代英语》、《图书印刷月报》、《立信会计》等数种期刊之外，还经售延安、香港等地出版的进步书籍；毛泽东著作《论持久战》和《新民主主义论》，在三户图书社也可买到。

广西最早的一部市年鉴

洞 仁

1949年5月出版的《桂林市年鉴》是广西最

早的一部市年鉴，由当时桂林市文献委员会负责编纂，易熙吾主编。从1947年开始，经过八个多月的努力，一部五十多万字的《桂林市年鉴》终于脱稿付印。

这本年鉴记载了从1945年8月“桂林光复”以后至1947年底桂林各方面情况，其内容有：特载、土地与地政、户政与气象、行政与自治、金融、交通、教育、社会、农业、工业、大事记、名人录等共十八个类目。当时的广西省主席黄旭初为年鉴题词曰“市志先声”。著名人士李任仁题曰“桂林大观”。在旧中国的省辖市中能出版年鉴者，是不多见的。

据桂林解放时负责南下接管工作的同志回忆，当时来到桂林，能在书店购到一本《桂林市年鉴》，对桂林市情就心中有数了。的确，这本年鉴为我们保存了桂林解放前夕，尤其是抗战期间的许多珍贵资料。

李任仁对《救亡日报》的赞助

李海楼

广州沦陷后，夏衍带着救亡日报社同仁从广州经肇庆、梧州，于1938年8月1日到达桂林。

周恩来同志曾嘱咐夏衍《救亡日报》在桂林

复刊，争取公开发行。为此，夏衍通过刘仲容拜访先父李任仁，李当即陪夏衍去省政府找黄旭初主席作礼节性拜访，后夏到我家，先父详细向其介绍李、白、黄之间、桂系同蒋介石之间十分微妙的关系。同时还说孙科想在广西插手，情况十分复杂。

先父和夏衍虽是初次见面，但他们谈得非常诚恳坦率。不久李任仁与陈劭先商定聘请夏衍为广西建设研究会研究员。此后，他们接触频繁。1939 年 8 月 24 日《救亡日报》创刊两周年纪念时，我父专为该报撰文，文中强调"不断扩大团结，扩大不屈不挠的精神，把中国从危亡中挽救起来"。

为了支持《救亡日报》主办的《十日文萃》出版，李任仁欣然解囊相助。同时还与田汉、马君武、白鹏飞等十余人发起为《救亡日报》筹集基金，举行《一年间》公演，并担任发起委员之一。

此外，还为《救亡日报》撰写了好几篇专论，其中最为突出的如《文化建设与言论自由》，是针对反动顽固派的独裁统治，指出要为进步文化界开展活动创造有利气氛，大力提倡政治民主，学术自由等。当时，在国民党的中央委员中，敢于与反共顽固派唱反调者尚不多见。

夏衍主编的《救亡日报》坚持至 1941 年"皖南事变"后，由于处境困难撤离桂林去香港。行前，李任仁受李克农之托，通过黄旭初购得一张机票送夏衍出境。

昆仑关烈士墓园及名人题词

唐农林

1939年中日昆仑关大战，在我国抗日民族解放战争史上写下了光辉的一页。是役歼敌四千余，击毙敌少将旅团长中村正雄、联队长坂田元一和三木吉之助、班长以上军官达百分之八十五，缴获战利品无数。我军阵殁官兵三千四百多人。为缅怀英烈，国民党第三十八集团军第五军于抗战胜利后派工兵连到昆仑山建造昆仑关战役阵亡将士牌坊、墓园及纪念塔，藉以流芳千古。蒋中正、李宗仁、白崇禧及杜聿明等各路抗日将领均有题词。

墓园规模宏大，自南迄北高踞关塞西侧、邕宾公路中段，纵约两三华里。自南登临有四柱三门的石刻牌坊。牌坊中间横额及两内联有蒋中正题"陆军第五军昆仑关战役阵亡将士墓园"及"芳烈长流为国家尽忠民族尽孝，英豪继起信抗战必胜建国必成"。右横额李宗仁题"雄关铭勋"。左横额徐永昌题"毅魄长雄"。两外联杜聿明题"血花飞舞苦战兼旬攻克昆仑寒敌胆，华表巍峨扬威万里待清倭寇慰忠魂"。牌坊背面(即北面)中间横额仍是蒋中正题"陆军第五军昆仑关战役阵亡将士墓园"。右横额张发奎题"气横山河”。左横额余汉谋题“民族正气”。两内联于右任题“昆仑关下万姓记,革命军前金石光”。两外联顾祝同题“战绩令人怀壮烈,国殇为鬼亦雄奇”。

穿过牌坊历三百三十一级花岗石阶而抵墓园。距山下已三百余米,北行至最高处为陵墓所在,建有一座高约十五米的纪念塔,雄伟壮观,塔上杜聿明题“陆军第五军昆仑关战役阵亡将士纪念塔”。塔中层为六面型,正南面蒋中正题“碧血千秋”。右面白崇禧题“昆仑关战役阵亡将士纪念碑……”。左面李济深题“陆军第五军昆仑关阵亡将士纪念塔……”。右后何应钦题“气塞苍冥”。塔的北面,有东西北三座平台型阵亡将士公墓,分别为荣誉第一师、新编第二十二师及军直属单位阵亡芳名。

从墓园往北,山势徐降,近山麓边有一出口牌坊,南面横额张治中题“不朽是为”。黄旭初题对联“编成战史勋名重,合葬雄关俎豆新”。牌坊北面,陈诚题横额“气壮山河”。林蔚题对联“百战尚留苌氏血,九攻更轶狄青勋”。

昆仑关烈士墓园及名人题词至今保存完好。每年清明前后,常有学校师生到此扫墓;不少远方游客及史学工作者,前来藉览古关之险,凭吊烈士英魂。笔者多次与文史界同仁到昆仑关考查,是以记之。

听月亭命名由来

梁寄尧

南明亡后，瞿(式耜)张(同敞)二公殉难于叠彩山麓，栖霞寺住持浑融和尚为其收尸，安葬于东郊花园村畔，事后并于寺侧听经石旁建“听月亭”以资纪念。

经明、清、民国三代，历时三百余年，凡登游七星岩者，必道经此亭，细心人莫不仰视亭匾，追思前人命名之由？或曰：神州万景，寺观亭榭多如牛毛，只见以“赏月”、“玩月”、“望月”等等名亭，月本无声，而何以“听”名之？

也有人穷问寺僧，答曰：《栖霞寺志》于此事亦无详载，只听代代师父传言，七星山坐西面东，亭在山右，月东升为山所挡，人立亭上，不见月亦不浸光，只能想像月之光容，因以名“听”。

余孩提时，舅祖父汤盘铭先生(清末桂林秀士)曾对我说：明朝之明，系由日、月两字组成；明亡，如明字已失去日光，剩下的反清势力如月光一样已转入地下仍在继续战斗着，因之浑融收尸建亭真意，是叫瞿、张二公及死难烈士，在地下好好安息而静听他们这“月亭”抗清复明的捷音吧。

四十年代初，日骑陷桂，此亭毁于战火。

李宗仁在台儿庄的照片是周游所摄

雷　成

全国各地举行纪念抗日战争和世界反法西斯胜利四十周年之时,《人民政协报》和有关图片展览,都刊登有李宗仁将军1938年春台儿庄大捷后在车站的照片。遗憾的是这张有着历史意义的照片没有注明拍摄者的姓名。为了求真、存实,我将所知公之于众。

照片的拍摄者是周游,周为广西龙州人,幼时侨居安南(越南),1934年中学毕业后,考入第四集团军总部电影队学摄影,结业后留队工作。当年我尚在中学读书,因彼此爱好音乐,时有往还。抗日战争爆发后,李宗仁进京参加抗战,周游即以摄影副官随行。我亦参加广西学生军到第五战区前线去做政治宣传工作。徐州失陷之后,我在河南潢川见到周游,战地相逢,倍觉亲热,李宗仁将军几次接见我们,都是周游在旁拍照。周游跟随李宗仁将军拍摄了不少珍贵的历史照片,除了李宗仁在台儿庄那张之外,还有一张蒋介石在中间,李宗仁、白崇禧在两侧的照片。当时他所拍的照片,国内外不少报刊都有刊载，尤其是李宗仁在台儿庄那张，《良友》画报曾以之作为封面，画报并署有作者周游姓名。

武汉沦陷以后，我不再见过周游了，据说他在 1940 年第五战区司令长官部迁到老河口后升为少校，转入陆军学校学习。

南宁早期放映的电影

雷润清

南宁有“无声电影”(即默片)始于二十年代后期，而流行于三十年代初。

放映默片，最早是邕宁县城厢第四国民小学。该校校长唐礼为了把旧庙宇改为学校，需要筹款，便把庙堂大厅夜间租给商人放映，看者不少。

后来，大南电影院开业了。当时的默片主要上演上海明星公司摄制的由郑小秋、胡蝶、夏佩珍等主演的言情片以及《火烧红莲寺》、《荒江女侠》之类的武打片。院方为了使观众了解剧情，便在观众座位中间靠壁的位置设一座席，由一位讲解员用粤语解释剧中情节。

三十年代初，在南宁商会(今解放路兴宁区人民政府所在地)右面的低洼空地上，曾搭了好几个戏台，演出粤剧、邕剧、师公戏(南宁一种比较原始的地方戏)、魔术以及放映默片。虽然不设讲解人员，但观众最多。记得那时曾放映过差利·卓别林的片子，深受观众欢迎。

至于中华电影院，成立较晚，所放映的已经不是无声片，而是有声片了。

广西省立艺术馆新馆筹建轶闻

苏理立

广西省立艺术馆于1940年3月由欧阳予倩先生一手筹建，该馆直属广西省政府领导。但馆址是借用的，设在桂西路与榕荫路转角处的一条叫马房背的小巷里，房屋破旧，拥挤不堪，又无演出场地。每次演出都得租用别的剧院和电影院的场地，工作极为不便。1943年筹建新馆时(包括剧场)虽得到省政府的首肯，但并没有拨款。欧阳予倩是以贷款方式，并得到当时中建公司经理张复初的赞助，在十分艰难的情况下筹建的。

新馆址在当时借用馆址一带，因包括剧场，占地面积较大，除拆除借用馆址的旧房之外，还要占用当时桂林中学教工住宅院内的部分地盘。抗战时期，作为大后方的桂林，教育青年抗日救国也是十分重要的任务，而且当时的教师居住条件亦相当拥挤，因而教育部门不肯相让。

忽一日晚饭后，欧阳予倩亲自找到桂林中

学校长雷震先生，当面交涉建艺术馆要占用桂中地盘一事。雷震先生说："现在桂林中学是全广西最有名的中学，许多外地文化名人都到桂中来任教，教师居住拥挤，条件亦差，土地不能相让。"欧阳予倩强调戏剧改革，戏剧宣传的重要性，雷震先生强调"教育为本"的观点，两人各持己见，互不相让，结果拍案吵了一场。

这事由欧阳予倩告到当时广西省主席黄旭初那里。黄考虑到戏剧宣传的影响力很大，便答应亲自找雷震先生面谈，并劝欧阳予倩不要太急躁。

后来，黄旭初将雷震找去面谈，并说明要尽快建馆迎接西南七省剧展，雷震先生只好作了让步。

广西省立艺术馆新址动工之时，欧阳予倩还特意请雷震先生出席了奠基仪式。

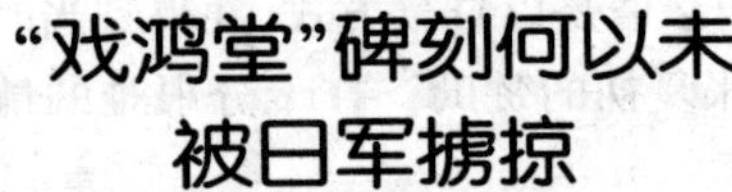

"戏鸿堂"碑刻何以未被日军掳掠

梁益年

李品仙，字鹤龄，广西苍梧人，保定军校出身，原在唐生智麾下，后为李宗仁手下战将。台儿庄会战后，李氏由第五战区副司令长官晋升第十战区司令长官,兼主安徽省政,辖豫鄂皖三省,成为权重一时的封疆大吏。

对于李之治皖,世人褒贬不一,毁誉参半。但其以果断智勇从日军手中夺回戏鸿堂碑刻之举,是功不可没的。

戏鸿堂内文物古玩甚多，仅历代名人书家碑刻就有一百余方，日军对这些文物精华垂涎已久,占领合肥后,便把戏鸿堂洗劫一空并伺机运回日本。其时合肥之敌被我所围困,故未敢轻举妄动。大约在1943年间,我探报发现城中日军准备了大量担架,行动诡秘,似有重大企图。李品仙当即判断此乃日军企图偷运戏鸿堂碑刻回日,着令日夜严加监视并调一师之众,待敌起运时伏击之,不惜一切代价夺回国宝。敌之行动果然不出李之所料。是役,我军伤亡虽大,但毙敌倍之。大小不一、质坚笨重的百余方碑石,被官兵合力全部运回。对参战护宝有功的人员,由省府予以嘉奖慰劳。

运回来的碑刻先是置于省府礼堂，任由观赏,后将碑铭拓印成册。其时笔者在皖任职,亦曾购得之，其中以宋徽宗的墨迹印象最深。不久,将碑刻藏于省府背后山上新建碑亭内,李品仙在碑记作跋志之,末句是“永作镇山之宝”。

戏鸿堂碑刻之所以能够保存下来，实仰仗李品仙之智勇,倘若国宝被掳掠东瀛,如今就只能成为东京一景了!

第一个报道南沙群岛的新闻记者

梁元熹

1947年5月，国民党南京政府海军总部派出由永兴、中业两舰组成的“南海前进舰队”前往南沙群岛考察。中央研究院、台湾海洋研究所、经济部地质调查所等派出调查人员随行。二十八岁的黄克夫受上海《大公报》社指派，随舰前往采访。舰队由指挥官姚汝钰率领，于18日开航，21日抵达南沙群岛的主岛太平岛。当时该岛刚从日本侵略者手中夺回不久，黄克夫在岛上紧张地采访了三天，踏遍岛上的每个角落，纪录了我国渔民在南沙群岛的生息情况和祖辈留下的遗迹；以及日本侵略者侵占我国领土的罪证；还搜集了大量有关南沙群岛的物产资源和水文气象资料等，并通过岛上的电台往《大公报》发稿。

黄于6月回抵广州后，在《大公报》发表了一篇题为《南沙群岛实踏记》的通讯，把当时他在太平岛上的所见所闻，渔民历代祖先开发南沙群岛的历史痕迹，诸如“观音阁”、“土地”、“天后庙”等建筑物和“林门堂上一派宗亲……”、

“祖德源流远……”等断碣残碑,渔民祖辈的荒冢以及日本侵略者的墓葬等等情况如实作了报道。而岛上却没有越南、菲律宾、马来西亚、印度尼西亚等国人的一丝半点史迹，再次雄辩地说明南沙群岛自古以来就是中国领土。

黄克夫原名黄五彰，贵港市香江乡下棍村人,1935 年秋，以黄彰的名字考上南宁高中,并参加了共产党。1945 年回贵县参加“大江乡起义”失败后,被贵县反动派悬赏通缉,他即转赴重庆《大公报》复职,改名黄克夫。建国后任《大公报》驻粤办事处主任,至近年已离休。我与他为同乡,亦从事报社工作,遂知其事。

山歌状元马饭包

梁寄尧

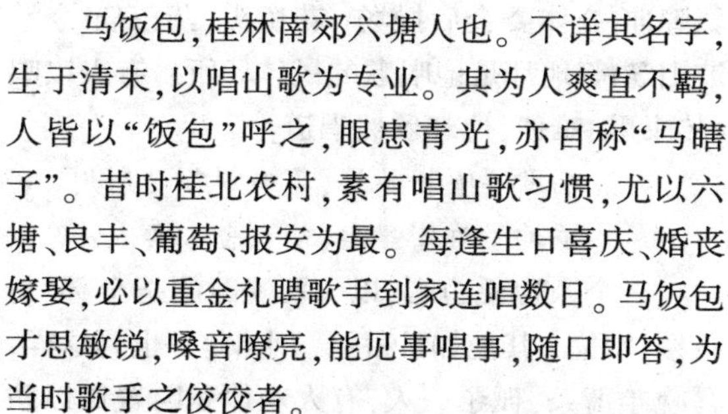

马饭包,桂林南郊六塘人也。不详其名字,生于清末,以唱山歌为专业。其为人爽直不羁,人皆以“饭包”呼之,眼患青光,亦自称“马瞎子”。昔时桂北农村,素有唱山歌习惯,尤以六塘、良丰、葡萄、报安为最。每逢生日喜庆、婚丧嫁娶,必以重金礼聘歌手到家连唱数日。马饭包才思敏锐,嗓音嘹亮,能见事唱事,随口即答,为当时歌手之佼佼者。

如他的歌伴“赖抱母鸡”(诨名)唱歌笑他:

哥也忙来妹也忙，两人同去赶六塘。

买了四两干鱼仔，缺少一个饭包装。

他不假思索，随口答道：

那有好箩去装灰，那有好人也做媒。

今天闯着我瞎子，红薯落灶你该煨。

原来对方女性，正业保媒，副业唱歌。

有一次马氏出外访友，人或以香炉代杯奉茶而讥其盲，饭包不但不怒，反以解嘲答之：

眼睛瞎瞎吃了亏，拿着香炉当茶杯。

幸好拿手点一点，不然吃得满嘴灰。

民国 3 年 (1914)，秦步衢任桂林巡防营统领，为了粉饰太平，曾在统领衙门举行山歌赛。重奖之下，四方歌手云集，一连对歌三天三夜，比赛结果，马饭包仍是名列前茅。因之，人们称他是“山歌状元”，名声随之愈大。

那时桂林四乡有赌，大圩、潭下、两江、马岭等包赌头子皆以重金争聘他去唱歌，以招赌徒。有时他也来桂林卖唱，像三界楼(今解放桥头)、城隍庙(今体委会后操场)、花桥头、药王庙(今洑波山麓)等地都是他唱歌的最佳场所。有人以唱《传书歌》难他，他却欣然唱道：

唱歌要唱粉妆楼，莫唱刘备借荆州。

罗坤受难牢里坐，胡奎舍命卖人头。

一个人边说边唱，以一两晚时间把全部《粉妆楼》唱完。其他如《说岳》、《水浒》等也是这样。马晚年萧条，孤孑一人，有人劝他积财置田以防老，他叹息唱道：

吃了三餐过了日，那样东西是我的？

早晨不知下午事，看来还是一堆泥。

马饭包一生所唱山歌当以万计，其中尤以情歌部分最好。

一县八进士　三科两状元

吴　晋

清季北京有个桂林会馆(五十年代尚存),门上有联云:

一县八进士,
三科两状元。

三科指光绪十五年、十六年、十八年举行的全国三次会试。三次会试产生的三名状元中,临桂(桂林当时称临桂)一个县就占两个,即光绪十五年的张建勋、十八年的刘福姚。

八进士则指光绪十八年刘福姚中状元同时,桂林还有七人同科中进士,他们是范家祚、陈福荫、吕森、王家骥、阳觊、秦士麟、郑揆一。

此联一时传为科场佳话。

李如金撰联讥刺沈鸿英

陈硕章

沈鸿英为人狡诈多变，反复无常。1923年2月，沈鸿英先接受孙中山的任命为桂军总司令，移防北上；3月又接受北京政府要他督理广东军务善后的任命，4月率部进攻广州，失败后退回广西。沈军进驻平乐县沙子街时，地方士绅搭起一座欢迎牌楼，两边悬挂着一副对联：

大将军八面威风，东荡西平，新雨能来联旧雨；

老百姓十分高兴，欢天喜地，去年悬望到今年。

横眉是“爲国爲民”

部下有人将此联抄呈沈鸿英，沈看后十分高兴。沈身边有个参谋人员，亦通文墨，越品味越觉得其中有刺。为国的“為”少了一点，为民的“為”写成一横，这不是为国少一点，为民多一横，显然含有祸国殃民之意吗？再悟联语，这是一副鹤顶格联，上下联嵌有“大老”二字，是粤语对土匪的称谓。沈是绿林出身，听了大发雷霆，下令把撰联人立即抓起来，而撰联人李如金却

早已逃之夭夭了。

李如金，平乐县沙子街人。晚清时因求功名不遂，乃愤世嫉俗，玩世不恭，兼具侠骨，在地方上好打抱不平，颇受一方的敬重。他对沈鸿英之为人非常鄙视，因此写这副对联，既抒个人心中的愤懑，也替老百姓出口恶气。至今，老一辈人仍津津有味道其佚事。

胡适集《楚辞》联赠雷宾南

马清和

1934年底1935年初，胡适先生南来广西。当时雷沛鸿(宾南)任广西省政府委员兼教育厅厅长，正在全省普及国民基础教育运动，开展大众化教育。初到广西的胡适，对雷沛鸿的教育运动尚不了解，认为广西地瘠人贫，要在每个乡村设一间学校，哪来那么多的经费？雷沛鸿便陪胡适到南宁附近的乡村参观考察。胡适目睹了乡村孩子们在简陋的茅舍、泥屋、破庙、旧祠里如饥似渴地读书认字，追求知识；又看到村民们有钱出钱，有力出力，倾全力修建校舍的情形，恍然大悟。胡适大为感动地说："啊！原来雷先生办学校并不追求高楼大厦，孩子们读书也不贪图舒服。看来广西这种穷办法是有成效的呀！"

经过一番实地考察，胡适对雷宾南的教育

思想有了一定的了解，对他百折不挠的办学精神十分钦佩，将离广西时，乃集《楚辞》二句，撰成一联赠雷宾南。联曰：

孰不实而有获，
独好修以为常。

可惜人世沧桑，这副联已在辗转迁徙中佚去。前几年，山东大学蒋维崧教授以篆书重写此联赠我。往事如烟，不禁感慨系之。

联语痛刺曾国藩

韦甘睦

1943年，笔者到南岳青年夏令营工作，一日闲游至曾文正公祠，见祠内墙壁上有毛笔手书的联语一则，文曰：

取四眼狗之妻为妾，何为文也？
杀十三人之头媚外，安得正乎！

上联意为：太平天国将领、英王陈玉成(清军辱称陈为四眼狗)被叛变降清的北平王苗沛霖伏兵执送清营，惨遭杀害后，曾国藩竟取陈玉成之妻为妾，如此德行，怎能称之为“文”呢？

下联似为下述事件而发，即1870年(清同治九年)，法国领事丰大业为天津群众与法国教徒斗殴事，往见总理各国事务衙门侍郎崇厚时，开枪示威，当场击死天津知县的仆从一人，因而激起群众在极端义愤中打死了丰大业，并捣毁了英、美教堂各一所。为此，清廷先后派曾国藩、李鸿章前去查办，结果将群众十五人处斩(该联写的是杀十三人，是否误记，或另有所指，未详)，二十一人军流，并遣崇厚出使法国赔礼道歉。故下联的意思是：曾国藩杀了十三个中国人去谄媚外国，这难道可以称为“正”吗？

该联无上、下款，未署姓名、年月，似系游人参观此祠后，有感而信手书于壁上，以示对曾国藩的评论。

朱荫龙的一副对联

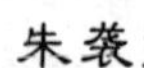

朱蓑文

1944年10月，日寇自湖南大举侵犯广西，10月31日，桂林城防战开始，11月9日，城防司令韦云淞不战而逃，守城的一三一师师长阚维雍身陷重围，自杀殉国，城防司令部参谋长陈济桓，突围时在西郊猴山坳受伤后拔枪自尽，城防的三十一军参谋长吕旃蒙战死于西郊甲山。光复后的桂林，全城尽毁，触目凄凉，市民对韦云淞怨言极多。在桂林市各界为壮烈殉国的阚、陈、吕三将军及城防战中成仁取义的官兵举行的追悼会会场中，出现了一副下款为“任隆敬挽”的挽联。

上联是：

焦土太凄凉，姑莫论是是非非，但试看两军健卒，七里防区，四月粮储，十天城守。

下联是：

大星何黯淡，最难言功功罪罪，算尚有三子成仁，千夫拼命，万民赴义，八桂复苏。

“任隆”者，桂林朱荫龙也。

桂林防守战开始之前，蒋介石为着给韦云淞打气，曾自重庆空运“陆海空军勋章”到桂林，向韦云淞颁发。炮声响不数日，韦云淞已逃之夭夭，朱荫龙咏桂林城防战诗中，遂有“三军天外颁勋卷，十日城头失将旗”之句。桂林光复后，朱荫龙在长诗《金凤曲》中也以“人民血泪填山谷，将军早已入黔蜀”之句示讽。

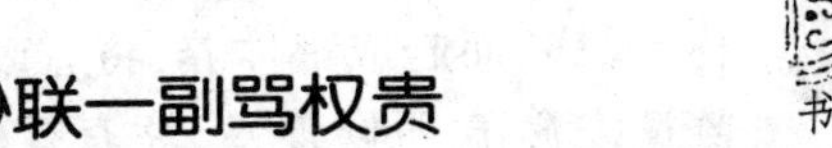

妙联一副骂权贵

方贵益

1944年冬，日寇再度入侵广西，群众痛江山之破碎，恨当权之遁逃，故于翌年春，在百色有出当权者之白头贴——长联一副，曰：

桂省府数次搬迁，宜山不宜，都安不安，百色百变，从此凌云直上，安居乐业；

四战区再度撤退，向华失向，夏威失威，云淞云散，幸得龙光返照，气煞健生。

其实情也。盖以身为四战区司令长官手握十多万大军之张发奎(字向华),一枪不发,而率先由柳逃窜百色。

号称“小诸葛”之白崇禧(字健生),时任军委会副参谋总长之责,亦未见兑现孔明之谋。镇守桂林之韦云淞弃城而逃,阚维雍援绝自尽,名城尽遭燹掠,令人发指。

第十六集团军总司令夏威,驻防宜山一带,敌未至而率先溃退。

当时广西一百县市仅二月余而先后陷敌者泰半,殊骇人闻。

至任封疆大吏之黄旭初,亦无保省安民之策。1944年6月,省会由桂林西迁宜山,次都安,再迁百色,惟当迁抵百色后,仍见风声鹤唳,一日数惊,因而再图迁乐业,以维残局。其本人则称“胃病”而赴成都休养,将省政府交民政厅长陈良佐看守,听候奔突。幸有粤军军长邓龙光部在田东一线奋勇拒敌,百色偏安,得免于难。据当时目击者之一,曾在省府田粮管理处工作现为柳州龙中退休老师之王云萍曰:“此联于夜阑更深贴于省府门口,其得亲睹,未见署名,故不知为白鹏飞杰作也。翌晨妙联被发现后,群众趋前争观,都认为是百色山城里一桩大快人心之事。因而消息不胫而走,传遍全省。”当时笔者每到街头巷尾,饭前酒后,辄闻以之聊聊为趣。

“谈”“打”春联

梁上燕

1946年春节，在桂林丽君路佛教会北面右边街一间打草鞋卖的铺子门口，贴出了一副春联：

打打谈谈谈打打
谈谈打打打谈谈

春联只用了“谈”“打”两个字，对仗工整，寓意深刻，足见手法之高妙。此联贴出后，行人驻足，观之者众。一时传遍桂林城。

我为梅兰芳代笔画梅

朱家栋

余酷爱京剧，少时初学青衣，后改小生，曾在北京、武汉、重庆及桂林等地化名登台票演。受家学熏陶，余亦习丹青，尤喜画梅。仗父荫和父执辈提携，1928年成为周养庵主持的北京中国画学研究会会员。因演戏作画，故与当时的梨园名伶、票友以及书画界名流颇多熟识。

梅兰芳不仅长于戏，还长于画梅。曾师事余在北京美术学院中国画系执教的母舅陈少鹿。余曾见过梅博士的两幅得意之作：一幅是自画的墨梅；另一幅是与叶恭绰合作，上书“遐翁画红梅，畹华补绿梅”，俱见功底，确是不同凡响。其时，求索者众，以梅冗忙之身，实感应付为难。幸梅的配角小生姜妙香善画花卉，梅又与余交谊甚笃，于是，有请梅画梅的，梅就常请我二人代笔。我多半为梅画一些条幅扇页之类。画成之后，再由梅署名盖章，如是梅始得脱身。可见如愿以偿者，所得并非都是梅博士之真作。

马师曾喜爱梧州的“三宝一好”

黎侠峰　黎庆焕

四十年代初，日寇相继侵占了香港、广州。马师曾等粤剧艺人，为维护民族尊严和保持民族气节，先后从湛江进入广西。他们曾在梧州停留，与南强戏院的凤凰剧团联袂演出。马师曾的精湛技艺和独特唱法，给梧州市民留下了深刻印象；而梧州的“三宝一好”，也使马师曾喜爱备至。

所谓“三宝一好”，是马师曾常挂于嘴边的：“梧州食味三件宝，豆浆、蛤蚧、冬虫草”，和“老姜焗鸡又一好”。他对豆浆小吃颇感兴趣，赞其够甜够靓，货真价实，名不虚传。而“冬虫草煲蛤蚧”，这种药膳汤他最为喜欢，视为上汤，常喝不厌，因为它对身体有补中益气、润肺清心的功效。在“三宝一好”中，他偏嗜“老姜焗鸡”，这是

他进食的主菜，其他煎、蒸、炆、炖、白切等，并不在乎。他曾为之作打油诗赞美：

老姜焗鸡味道美，
补而不燥暖脾胃；
肉爽皮滑香喷鼻，
食欲大振益肚皮。

梧州的“八和会馆”

黎侠峰　黎庆焕

抗战期间，梧州有不少粤剧艺人流离失所，生活无着。其时，著名粤剧演员关德兴于1941年倡议建立“广西梧州八和粤剧职业工会”(即八和会馆)。其宗旨是宣传抗战救国，改良粤剧艺术，团结和救助粤剧流散艺人。此倡议深得广大艺人的赞同和支持，并通过当时在梧州演出的戏班进行义演或募捐以筹集建立会馆的经费，会址设在学德路一间破旧的烂竹木屋内(今中山路小学附近)，凡会员均发给会员证及证章，该馆设理事长为负责人。首任理事长是关德兴，由关的秘书黄某负责日常工作。

剧团的流动性大，八和会馆理事长的更迭也较为频繁，在一年左右时间内，理事长竟有七任之多。首任理事长关德兴后，有余虎臣(两任)、马师曾、薛觉先、黎侠峰等，最后一任是梁超峰。

历任理事长除关德兴是由艺人们选出之外，其余各任理事长的产生有两种情况：一种是现任理事长离梧时卸任给当时在梧州较有名气的艺人担任；二是梧州来了名声更大的艺人，现任者主动礼让卸任，如马师曾、薛觉先两位理事长便是这样产生的。

1942年秋，马师曾在梧临时就任八和会馆理事长约有一月之久，期间为八和会馆和红十字会各义演两场，所得款额全部上送。此外，他以“度戏”为名，邀请八和会馆及凤凰剧团的艺员聚会一起，了解艺人的生活和演出情况，从精神上和经济上直接支持了八和会馆工作的开展，为馆员留下了很深的印象。

薛觉先桂林办《剧声报》

陆君田

1942年春，著名粤剧艺术家薛觉先和夫人唐雪卿率领“觉先声剧团”一行五十余人，从香港经广州到桂林，分别谒见第四战区司令长官张发奎和广西绥靖公署参谋长张任民，表示愿为抗日献捐义演，藉以报效祖国之至意。二张嘉其行。从此至1945年日本投降的三四年间，薛觉先都在桂林、柳州、南宁、百色等地巡回演出，给广西的粤剧观众，留下深刻的印象。

薛觉先在广西演出的剧本有《璇宫艳史》、《白金龙》、《胡不归》、《王昭君》、《杨贵妃》、《貂蝉》、《西施》、《毒玫瑰》、《假凤虚鸾》、《姑缘嫂劫》等。这些剧,早已脍炙人口。此番在桂林等地演唱,几乎场场爆满。

薛觉先早年就读于香港皇仁书院,植有国学根底,是粤剧著名改革家,创造了薛派艺术。粤剧从"提纲戏"进入"书仔戏"是薛觉先的一大功劳。薛觉先的戏路很广,唱做俱佳,表演尤具特色,多在一剧中扮演两个角色,如在《西施》中先扮西施,后扮范蠡;在《王昭君》中先扮汉皇,后扮昭君。他既演文武生,又演花旦或须生;演出的剧目既有古装,又有青装、时装,古今中外无不包罗。

1943年春,薛觉先创办一张《剧声报》(三日刊),每期出四开四版报一张,作戏剧媒传工具,成为当时抗战文化名城的一枝异葩。薛为报社后台老板。以桂林正阳路西巷一号蟾宫饭店为社址,聘笔者兼社长,王素民(广西日报营业主任)兼任经理,廖济航(中央社记者)、邝荫泉(扫荡报编辑)兼主编。每期印三千份,后因新闻纸停止配给,纸张来源困难而停刊。

《剑舞》曲惹出《红拂传》

蔡定国

抗战期间，著名小提琴演奏家马思聪在桂林举行独奏音乐会，其夫人王慕理钢琴伴奏。作家端木蕻良当时亦寓居桂林，他久慕马氏大名，便欣然观看了表演。

马思聪演奏至《剑舞》这首乐曲时，琴声激扬，节奏急促，闻者似见堂前舞女回风旋转，双剑寒光闪射，如龙化形，得到极美的美感享受。琴声戛然而止，端木先生从沉醉中清醒，不禁击掌叫绝，他灵感一动，想道："如果用马思聪演奏的这首乐曲，与一个反映剑舞的故事结合起来，编一个剧本，那才妙哩！"熟悉古典的端木先生立即想到"美人巨眼识穷途"的红拂故事。他兴奋得几乎喊出声来："红拂传！红拂传！"

演奏会结束了，端木蕻良迫不及待地到后台找到马思聪，把自己的想法告诉他，马先生和王女士都非常赞赏。

后来，端木蕻良写成了平剧(京剧时称平剧)《红拂传》，并由名伶金素秋领衔主演。端木蕻良曾对朋友说，《红拂传》能写成，"实在是马思聪的乐曲惹下的公案"。

金山、王莹连演三独幕

陈开瑞

抗战初期，上海、武汉相继沦陷，洪深率上海救亡演剧二队辗转来到桂林。稍事休整后，便假座乐群社大礼堂(后经上海影商宗维赓包租改建为乐群电影院)，首次演出三个独幕话剧。

首场由二队台柱金山、王莹合演《放下你的鞭子》，金、王分饰江湖卖艺父女；次演《马百计》，金扮演凶恶狡黠的日本宪兵队长；大轴戏《贼》(一名《梁上君子》)，由金山、王莹分饰大少爷和大少奶。沪上名角来桂林登台，此为首举。

金山在四个多小时内一气连演三个性格迥异的角色，都能各臻其妙。以当时而论，剧坛无前例；以今日观之，尚无后继者。王莹在《放下你的鞭子》中唱了《卢沟问答》和《大刀好》，歌声绕梁三日，一时流播桂林城。

“可以禁演，一字不改！”

陈开瑞

1938年秋，由欧阳予倩编导的桂剧《梁红玉》在桂林南华戏院首演，一连八晚，场场爆满。

一夕，台上韩世忠、梁红玉夫妇为“兵源不济”之事，正在口舌交锋，韩抱怨老百姓不踊跃从军卫国。梁则答道：“这只怪你们这班老爷平日待百姓太好了。”韩听后低首反省，面带愧色。这时梁夫人又声色俱厉地说：“百姓们怕你们这班老爷还来不及呢！”就这样，一连几个“老爷”，顶得韩元帅无言可对。

这几句剧中人物的对白，一时却恼坏了包厢内的一名官员。此人并非等闲之辈，乃广西省财政厅黄厅长是也。散场后，黄即径往后台“拜访”了欧阳，他假惺惺地对《梁》剧赞扬一通后，随即提出他的“观感”：

“欧阳先生，中国的‘老爷’也有蛮多是好的啊！”

“既然如此，所以好‘老爷’就用不着多心呀！”

“梁夫人的嘴巴也太辣火了。先生，你可否稍易其辞？”

“可以禁演，一字不改！”

回答得斩钉截铁，掷地有声，黄厅长怫然而去。

坏蛋全叫“洪深”

苏锦元

1942年2月，应“新中国剧社”之邀，著名戏剧家洪深从广州来桂林执导由李健吾执笔的话剧《黄花》。《黄》剧所描写的是香港一舞女在抗战中的命运，但在桂林的香港文艺界人士看了彩排后，认为此剧对香港沦陷前后的情形表现得不够真实准确，并提出了加强现实性的建议。于是，由洪深、夏衍和田汉集体改编此剧，第一幕就是由夏衍执笔改编的，田汉在剧中加插了一首《再会吧，香港》主题歌，由洪深提议，将原剧名改为《再会吧，香港》。

剧本经笔者在广西书审处亲自审查通过并发给了“准演许可证”。之后，广西省党部和桂林警备司令部派员会同笔者（广西书审处代表）一同观看了彩排，再度审查无异议，准演在案。

3月8日，“新中国剧社”在新华大戏院贴出海报，《再》剧即晚上演。下午6时，戏院门口已竖起“满座”牌，门票告罄，足见此剧影响力之大。

当晚首场演出，座无虚席。第一幕戏快演完

时，省府民政厅长邱昌渭突然来电话："暂时停演！"欧阳予倩亲自打电话向省主席黄旭初交涉无效。这时，幕启了，但登场的不是剧中人物，而是导演洪深。洪向观众说明《再》剧中途停演的原因以及向当局交涉无效的经过后，悲愤地说："对于当局的出尔反尔，我们是要深致抗议的。但我们身为中国人，又在民族战争紧张阶段，不能不服从政府法令。现在遵令停演。票房已准备好了退票，请大家有秩序地退场，不愿退票的，将来若能解禁上演，票子依然有效。"此时，观众大哗，群情激愤。几名军官站起来大声说道："我们不退票，我们要抗议！"说着把戏票当众撕毁，很多观众见状，亦跟着把戏票撕得粉碎。

《再》剧被勒令停演，原因十分可笑。剧中有一反面人物叫张经理，而当时广西银行的经理也姓张，此公便对号入座，捕风捉影，牵强附会，硬说这个戏是讽刺他的，因此向省主席黄旭初告状，黄也不辨青红皂白，乃令停演此剧。

观众退场后，洪深当即举行了记者招待会。洪在会上向记者宣布："我导演一个戏，其中有个反面人物叫张经理，想不到本地也有一个张经理为此提出抗议。现在我决定把张经理改为洪经理，今后我写的、导演的戏中，反面人物都姓洪，坏蛋全叫'洪深'！"

由于文艺界进步人士的据理力争和迫于社会舆论的压力，次日晚，《再会吧，香港》又上演了，剧中的张经理果然改成了"洪"经理。

笔者在复旦大学读书时，曾选修过洪深教授讲授的《戏剧编导与表演》课程，与洪有师生之谊。洪到桂林导演《再会吧，香港》时，我在广西书审处负责剧本审查，对《再》剧十分关心，该剧从改编、剧本审查、彩排审查、演出、遭到禁演直至解禁上演，我都在场，所以对当时的情况知之甚详。近读有关刊物，觉得有不尽翔实和遗漏之处，故撰此文，使读者得窥全貌。

文化城劳军义演

陆君田

抗战期间，海内外名艺人先后汇集桂林。1941 年秋，由广西省抗敌后援会发起，邀请影后胡蝶、影星王人美、林静，粤剧泰斗薛觉先和唐雪卿夫妇，歌星紫罗兰等在中山北路大众电影院举行劳军义演晚会，门票以乐捐的方式大多向大官巨贾们推销。晚会被邀者个人，多以节目为主，此番群星荟萃，山水增辉，桂林人咸以一睹艺人们的庐山真面目为快。于是偌大的电影院内，座无虚席，即走廊甬道，也为戏迷站满，尚有不少慕名前来而向隅门外者。

晚会由林静主持报幕，以其玲珑俊俏、挥洒自如，控制了拥挤纷乱的会场，使观众情绪起伏有序，为晚会锦上添花。

胡蝶在晚会上有两个节目：一是剪彩；二是独唱她主演的影片《姊妹花》的主题歌《新女性》。胡蝶不善歌，但有影后之尊，热情谦逊，勇气可嘉，令观众爆起十分热烈的掌声。

薛觉先有粤剧泰斗、万能老倌之誉，在舞台上，他反串西施、王昭君、杨贵妃、貂婵等四大美人，惟妙惟肖，名噪一时。三十年代初，薛在上海向名师学习京戏，逐渐把京剧艺术融会于粤剧中，给古老的粤剧注入京派情调，备受观众欢迎。后来薛觉先坏了嗓子，喉音沙哑，他只好避开生理上的弱点，以做工伴随低唱取胜，观众未尝稍衰。劳军义演的晚会上，薛觉先表演京剧《走麦城》，粤伶唱京剧，好奇者趋之若鹜，只见薛觉先亮开朱红脸，手舞大关刀，套路娴熟，把关云长沉毅威武的形象演得恰到好处。加以随身的马弁武艺非凡，腾空翻滚，给这台戏增色不少，博得满堂掌声。

王人美独唱她主演的影片《渔光曲》的主题歌。还有蜚声南洋的歌星紫罗兰也被晚会的组织者请到会场。但她和唐雪卿等只为支撑场面，不作节目表演。

晚会在军民同乐中宣告结束。

唐景崧与“桂林春班”

蔡定国

1895年6月，唐景崧经厦门回到桂林，隐居五美塘，寄情于丝竹。在他的公馆内建有看棋亭并戏台各一座，同时自办一个名叫“桂林春班”的桂戏班子，荟萃了当时的桂剧名伶林秀甫(诨名压旦)、一枝花、周梅圃等人，让他们在自家的戏台上演出，邀集朋友观赏，有时也请街坊邻里看戏。在此期间，他一方面将桂剧旧本删改润色，另一方面根据历史传说、故事、名著撰写或改编桂剧剧本，计有《芙蓉诔》、《九华惊梦》、《一缕发》等共四十余出，汇刊为《看棋亭杂剧》。

康有为在“公车上书”后，1896年南来桂林，于讲学之余，徜徉山水之间，出入丝竹之地。唐景崧曾邀康有为观看自撰自教的两出红楼戏《看花泪》(即《黛玉葬花》)和《芙蓉诔》。康有为观后，赋诗相赠，其中咏《芙蓉诔》诗写道：

九华灯色照朱缨，千里莺花入桂城。
万玉哀鸣闻宝瑟，一枝浓艳识花卿。
芙蓉城远神仙梦，芍药春深词客情。
新曲应知托顽艳，从来侧帽过三生。

该诗除对剧本和演员大加赞赏，还对唐景崧编撰新曲寄托“顽艳”的良苦用心，表示赞赏。

桂剧最早的女伶

梁父吟

早期桂剧由男伶表演，自唐景崧退隐回桂林，在榕湖畔组织“桂林春班”，躬亲导演，并招三十名女学员，此则为桂剧有女演员之始。民国元年，又有周锡侧先生创办的“福珍园女科班”。民国二年石长之先生创办的“和园甲乙女科班”，请名旦苏荣兰训练女伶。两班女伶，多以词牌各作艺名，别具一格，如甲班有一封书、一剪梅、半天飞、小桃红、小蓬莱、海棠春、桂枝香、西江月等二十余人，乙班亦有一江风、一江柳、天边雁、天仙子、柳长春、桃红菊、满江红、双飞燕等二十余人，一时梨园竞秀，盛况空前。

当时更有一帮文人墨客，撰写嵌名诗吹捧女伶，为剧坛增添一抹奇艳的光彩，今录其四：

百花魁本冠群芳，深院探花蝶儿忙。
陌上柳长春已老，采桑子妇两三行。

斟楼夜静桂枝香，巧乞天仙子细商。
一旦木兰花外月，雁传书到待秋霜。

半天飞絮柳丝丝，惆怅西江月影迟。
正是洞天春色好，满江红雨落花时。

春水一江柳色新，佳人愁倚凤凰屏。
楼头嫉煞双飞燕，小翠桃花正妙龄。

桂剧名伶小飞燕

曾辉宗

桂剧名伶小飞燕，原名方昭媛，桂林人，幼年父母双亡，跟随姑母过活。七岁学艺，九岁登台，十多岁时就拜在欧阳予倩门下学习改良桂剧。她天赋聪颖，刻苦锻炼，艺技日精，早年在《黛玉葬花》中，成功地塑造了林黛玉这一聪明文静、多愁善感的形象，还凭着她那优美嗓音特点，创造委婉、舒展、多情、柔中带刚的腔调而在剧坛中崭露头角。1939年底，她在桂林演《打渔杀家》时，塑造桂英这一角色，得到桂、柳文化艺术界和广大观众的赞赏，一致举小飞燕为桂剧四大名旦之首。

1949年3、4月间，小飞燕正和桂林中学一位姓张的历史老师热恋着，然而遭到她姑母的反对。这个姑母，从接手抚养小飞燕的第一天起，就把她当成摇钱树，妄图要小飞燕嫁个有钱有势的大官。小飞燕曾多次抗拒军阀官僚的威逼利诱，现在爱上张老师又遭姑母的反对，姑母硬要她嫁与桂林市某银行科长，接受身价钱黄金五十两。这个富于正义感的小飞燕，无法突破封建的牢笼，为逃避残酷的现实，悲愤之极，遂服砒霜自杀。消息传到柳州后，柳州市桂剧界艺人及爱好文艺人士在天星戏院开追悼会，柳州文士阚得轩与小飞燕有师生之谊，曾作一挽联送会悼念。联曰：

廿九年碧玉无瑕，歌舞场中，相信洁来还洁去；

五十两黄金有价，污浊世上，可怜求死不求生。

“宫保赐产”

黄家藩

清光绪年间，北海崩沙口有一“宫保赐产”的人家，七品以下官员过其门都要下马步行，以示敬礼，宅主却是一位名不列经传的粥摊老板。乍看未免令人纳罕，原来还有一段掌故呢。

粥摊老板黄五，诨名“卖粥五”。道光十六年(1836)，“卖粥五”收留了一位从钦州来的流浪汉作帮工。他诨名“黑四”，二十岁左右，别看他黑瘦矮小，却身怀绝技——收碗碟时，将碗碟远远地飞掷入洗碗盆中，碗碟飞越顾客头顶，既不伤人，碗碟也安然无恙地“叠”入盆中。顾客为之喝彩，生意亦更兴隆，加以“黑四”干活勤快，不妄言笑，人缘极好，因而老板甚为得意，常在人前夸说，对“黑四”也常有赏赐。“黑四”本事过人，饭量也倍于常人。老板娘吝惜口粮，常奚落他。“黑四”看在为人厚道的五叔分上，隐忍不发。可是相处日久，五叔亦颇为难，“黑四”便主动提出辞职。五叔挽留不住，遂赠银两、衣衫，送“黑四”往廉州彭团总处投军。

原来“黑四”就是后来大名鼎鼎的抗法英雄冯子材。光绪十一年(1885)，冯带着“宫保”荣衔，从镇南关回到北海。他不忘旧情，特意在崩沙口下马，找到“卖粥五”。“卖粥五”吓得慌忙匍匐叩头：“小人该死！有劳四哥，不，宫保大人枉驾。望乞恕罪！恕罪！”冯子材赶忙双手扶起，说：“岂敢！岂敢！当日若非五叔关照，子材焉有今日！”他絮语家常，问候五婶平安，还劝五叔做官。五叔不愿当官，冯子材赠给他一笔银两，嘱咐他：“购置房屋一间，剩下留作养老吧，别卖粥了！”

“卖粥五”感戴不尽，果然在“公猫行口”营建住宅，门前悬挂一对红字灯笼，上书“宫保赐产”四个大字。直到民国初年，宅前下马的旧规还是依例而行。

红七军在乐业县城召开演讲大会

廖和康

1930年10月,红七军奉命北上路经凌云县乐业圩(今乐业县)时,为揭露国民党反动统治,宣传革命道理,扩大红军影响,曾召开了一次声势浩大的红军讲演大会。

大会会场设在贫农廖士义家门口的旱田里,主席台用木料搭成,长四丈五,宽三丈,在用青松翠柏搭成的彩门上方,贴有用大红纸书写的"中国红军第七军进驻乐业演讲大会"横额。彩门两边有对联,右联是:组织农协夺取政权人民当家作主;左联是:参加革命打倒地主豪绅社会太平。

大会开始之前,红军在廖宅墙上张贴了由政委邓斌(邓小平)、军长张云逸和政治部主任陈豪人联合署名的《中国红军第七军司令部政治部布告》,并向参加大会的群众散发红七军编印的《工农兵报》。

上午9时,参加演讲大会的红七军指战员和四方民众三千多人云集会场。当总指挥李明瑞宣布大会开始时,群众燃起了鞭炮,红军战士齐声高呼口号:“红七军是人民的军队!”“驱逐帝国主义!”“打倒国民党!”“肃清贪官污吏!”“建立苏维埃政权!”红七军军长张云逸在会上作了热情洋溢的讲话,他深入浅出地阐述了中国共产党和红军的宗旨,详细地分析了右江的革命形势,动员广大民众支持革命、参加红军。张军长的演讲不时激起阵阵热烈掌声。

演讲大会刚结束,立即就有黄群、黄锡志等十三名贫苦农民报名参加了红军。

广西留日同学会与《东流》杂志

钟文塔

1935年秋,一批留学日本的广西籍青年,痛感国难深重,在反帝反封建的共同要求下,组织了广西留日同学会,会址设在东京神田区中华留日青年会内。除了广西同学会外,还有许多省的留日同学会也设在那里。所以那个地方实际是中国留日学生集会的大本营。广西留日同学会的重大活动都在青年会内举行,日常事务和一般会晤,则在我和吴章居住的小石川区白山上江间别邸进行。

广西留日同学会创办了《东流》理论刊物。其宗旨是:“在反帝反封建的旗帜下,广西留日同学团结起来。”我负责集稿和出版的具体工

作，稿件主要由大家撰写。当时，李隆、梁泽晋、黎中青和官亦民的政治思想比较先进，他们对《东流》的理论倾向具有较大的影响。刊物发了两期，只在东京发行，对象是中国留日学生。同学会的日常工作，由卢兴群、吴章、莫明琥和我共同负责。参加者还有李隆、梁泽晋(灵光)、黎中青、官亦民、周可传、梁炎昌、陈国材、萧强等。

为了扩大广西留日同学会的影响，我们在1936年春夏间，还和各省留日同学会联合，邀请旅日的社会名流作学术讲演。其中有梁漱溟先生在神田区东亚日本语补习学校讲《东西文化及其它》；另一次是郭沫若先生在中华青年会礼堂讲《中日文化交流》。这两次讲演，听众都非常踊跃。

1936年夏，李隆、梁泽晋、黎中青、官亦民等陆续回国，继续留在日本的同学，思想也发生了变化，广西留日同学会名存实亡，活动也就停止了。

留趣山抗战轶事

李　仁

留趣山位于广西贺县八步公园南侧，山势不高，拾级而上，山顶有一风格别致的“六角亭”，供游客小憩。山半腰有一个约一米深宽的岩洞,“留趣山”三字石刻便藏于洞中的正壁之上。字体潇洒刚劲,令人神驰。相传古代一僧人见当地人喜欢聚集于此谈今论古，欣然提笔书“留趣山”三字飘然而去。于是,后人将其手迹凿于洞内,以防风雨剥蚀,让趣兴永留。

留趣山东侧原有约一百平方米的土木结构的“灵峰台”,专供演戏、集会及品茶之用。台前是一片平坦的开阔地(今为灵峰广场)。

1944 年至 1945 年间，先后从沦陷区的北京、上海、广州、桂林等地来贺县的一批爱国民主进步人士二百多人云集这里，开展抗日救亡活动。其中梁漱溟、柳亚子、千家驹、陈此生等人,于 1945 年春,听了中共中南局派到李济深先生身边工作的狄超白传达周恩来的指示后，梁漱溟、陈此生便以八步临江中学为据点,发展了该校校长李镇等多人参加当时新组建的中国民主同盟东南总支部筹备委员会。筹委会推举梁漱溟为总负责人,并由梁漱溟牵头出版《民主宪政》(桂东南版)杂志,三期而停。另举办民主讲座十次,听众达五百多人。

临江中学还邀请何香凝、柳亚子对学生讲演,该校不少学生在解放前就走上了革命道路。

此外，他们还在留趣山上举办“文苑草地会”,参加的有柳亚子、梁漱溟、陈劭先、薛觉先、马师曾、红线女等。每当夜色降临,他们以茶会友,谈时事,议政局,共商国是,以各种形式宣传进步主张。薛觉先还举行进步粤剧《胡不归》和

《报国仇》的义演；马师曾、红线女也积极义演《佳偶兵戎》等剧目，他们把义演收入，全部捐献劳军。是时，抗日烽火燃遍了贺县山山水水。

中华全国总工会的第一位女职员

黄童生

中华全国总工会的第一位女职员诸葛纯学，原籍江西，客籍广西荔浦。祖父选拔贡，父辈亦有功名，为荔浦旧家。诸葛少读十三经，不谙女红。及至长成，颇涉书史，诗文工稳，字迹娟秀，曾任荔浦县女子两级小学校长，教绩斐然。

1925年，燕尔新婚的诸葛随丈夫来到广州。其时，适值广东成立妇女协会，在家人的支持下，诸葛积极参加妇协活动，“争取女权”，提倡“男女平等”，要求保护“妇女之特殊利益”等等，她对封建礼教的鞭挞和对时弊的抨击，备受主任欧梦觉的赞许。

是年初夏，中华全总成立并函请妇协推荐一名女书记员。时有香山籍会员何玉珍提名诸葛，欧欣然举荐。

诸葛在全总的职分是笔译各省往来电文及将各报有关劳工状况的报道摘编成文送交秘书。此外，应何香凝主任之约，也常为广东革命政府妇女部撰稿。全总的职员多是来自各省之热血青年，他们各操方言，常因语音的不纯，彼此误解其意而令人捧腹。那时，工薪虽菲薄，但从秘书、录事到书记员皆一律平等，大家融洽无间，颇觉充实。

诸葛在全总时，年仅二十，乃第一位女性职员。其晚年被聘为广西文史馆馆员，虽华发萧萧，仍手不释卷。1992年病逝于南宁，终年八十八岁。

梧州名医何静轩

何虚中

先父何公讳廷炽，字静轩，祖籍广东高要。先世为避贼乱，举家徙居梧州。自幼习文，长研经史，尤爱武术。盖因吾母谢氏所生四子，均误夭于襁褓，先父甚为痛心，乃弃商，矢志业医。先父以“不能为良相当为良医”自勉，举凡《伤寒》、《金匮》、《内经》及《素问》等中医经典，皆攻读之，潜心钻研，博采众长，以其精湛之医术和高尚之医德，与当时执业之许瑞芝、叶夔才、张吉庭齐名，并列为梧州四大名医之首。

先父为梧州“宝善善堂”发起组织者之一，

后又参与成立中国红十字会梧州分会，对贫苦民众,实行义诊施药。先父与万寿宫“瑞和堂”药店有约：凡单方上有何静轩印鉴者，即免费发药,药费由何支付。遇有死而乏钱埋葬者,先父常为其向“宝善善堂”领出棺木,使得安葬,此善举历时二十余年,誉载梧郡。梧州成立同业公会时,先父以为公会规定诊金数额,意在多取,乃属牟利行为而拒绝参加,因而被强令停业。不得已迁居易家祠巷,此处虽较偏僻,也未悬行医牌匾,而求医者仍络绎不绝。

对“善医不自医”之说,先父不以为然:“学医不自医,不如不学医。”某年梧州大火,先父背药箱救护,不慎跌断腿骨;余兄十岁时失慎跌断右臂;笔者七岁时摔破头颅,皆由先父用中草药伴以生蟹肉敷治痊愈。先父从医后,吾母生下五女二男,有疾时,均系自医。此乃善医能自医之佐证也。

对于奇难杂症,先父往往妙手回春,药到病除。现仅就记忆所及,举其医案一二:

长洲乡里水村关氏，每于分娩期晕厥甚至休克,形成习惯性流产。其夫曾三易名医,经治数年,亦未见效。后请先父往治,拟出一方:“生姜五十斤,新卡其布紧身内衣一件。”制法:将生姜捣碎榨汁,再把浸透姜汁之内衣置于蒸笼内,蒸透后取出晾干,复再浸,再蒸,再晾,如是数次,至姜汁用完为止,然后将内衣藏于密封的衣箱内,孕妇分娩前数小时取出穿上。试之,果见神效。关氏产二三胎时亦照此办法,屡试屡验,乡人闻之,啧啧称奇。

富民坊乡民某氏怀孕已八九个月，忽一日腹痛如割,其夫请先父往诊,形状甚急,告病由曰:“早起无恙,后至前厅取吊篮,不久即觉腹中隐痛,愈痛愈剧。”先父乃命其夫取铜钱一贯(一百枚),尽撒于地上,令孕妇俯首弯腰逐文捡拾,穿回索上,孕妇拾至大半,疼痛大减,待至拾完,孕妇已安然如常。众人皆深敬其妙。先父告之曰:“疼痛乃孕妇举手攀高，使胎儿脱离乳腺所致，今让其俯首弯腰拾钱，胎儿便与乳腺吻合矣。”

所举医案，皆有赖于先父之悟性及细致观察,正确之诊断所得,正如先父在世时所云:“医者意也,明其意即能医。”

先父行医四十余年,慈善为怀,存心济世,家无恒产，留给吾辈者，惟有其医术与医德而已。

名医于峰拔和洪子寿

陈光宗

桂林近代有两位名医,一为于峰拔,一为洪子寿。

于峰拔祖籍苏桥,清末秀才,因废科举改而

习医。民国初年，先后悬壶于广州、上海，颇有声名。旧桂系两广巡阅使陆荣廷患疾，专人礼聘回桂为其治病，着手回春。自此回桂定居。他在洑波门的旧宅，即为陆荣廷所赠予。

于氏悬壶桂林，自负盛名，不贬身价，所定诊费高至银洋二十元。亲旧例不受酬。一般人家非病笃不敢问津。其处方用药得喻嘉言、叶天士诸家馀绪。偏嗜用贵重药，擅长以紫背天葵治血症。于药引、用水、用火均有讲究，前辈习见其处方，往往开列“竹沥为引，水以井澜，火以麻梗，……”凡此种种，俱为名家习气所累。

所著有神州国光社出版的《医、医、医》一书，三十年代犹见书店有售。其门徒宁正方，行医桂林，亦有声名。

先师洪子寿，亦以晚清秀才习医，于金匮典籍秘奥，旁及后世名家之长，莫不潜究。于金元四家，尤推服刘完素。宣统三年(1911)，悬壶济世，名重于时。辛亥革命后以迄民初，长期主持中医考试，任考试委员长。三十年代初游南京、上海，入国医馆，享誉京沪。抗战军兴，始回桂林应诊，门庭若市。自清晨以至深夜，每日求诊人数达二百。洪时年已七十，并无助手，亲为病家诊脉处方，劳顿可知。为免耽误众多病人，谢绝出诊，虽达官贵人亦必上门就医。为减轻患者负担，非不得已不用贵重药。诊金异常低廉，只定二角，少亦不计，贫苦病人免收。偶遇赤贫病人，赠医赠药，因此，以医德受人尊敬。1944 年桂林沦陷，避难贵阳，诊务繁忙，一如桂林。黔人至今称道。1946年因脑溢血逝于筑。

洪师临症，胆识过人，判症精确，通权达变，不守陈方。明于用药，用青蒿退大热尤具绝招。治伤寒温热诸病，独步一时，药到病除。一般温病二诊后即可勿药，医术精到，使人叹服。生平医论甚多，三十年代有废中医之偏见，先生撰文倡议中医与西医正式平等，反复辩论，阐明中医传统理论，载诸报刊，深获赞许。平生爱吟咏，诗多散佚。

易敦吾送医进瑶山

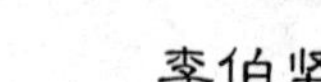

李伯坚

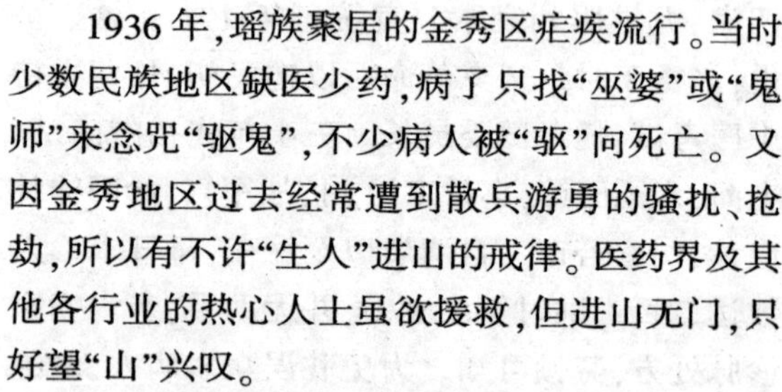

1936年，瑶族聚居的金秀区疟疾流行。当时少数民族地区缺医少药，病了只找“巫婆”或“鬼师”来念咒“驱鬼”，不少病人被“驱”向死亡。又因金秀地区过去经常遭到散兵游勇的骚扰、抢劫，所以有不许“生人”进山的戒律。医药界及其他各行业的热心人士虽欲援救，但进山无门，只好望“山”兴叹。

时梧州医院院长易敦吾抱着“精诚所至，金石为开”的想法，集合了十多名有勇气、有志气的护士和院里的学生，组织“志愿巡回医疗队”，自任队长。他们携带一批奎宁丸等药物，跋山涉水到达金秀。但却进不了山。易敦吾找了懂瑶话的人向瑶族头人再三致意,说明不是“兵”,也没有武器,只带简单的行李和药品进山治病。瑶族对医疗队不了解,不信任,不欢迎,医疗队被阻,暂住山下。

真是“无巧不成书”,恰好这时头人的爱子也患疟疾,巫师咒语不灵,病人高烧不退,病情日重。头人心里格外焦急,舐犊情深,终于答应先让队长进山为他儿子治病。但是有个条件:病治不好,不许下山。易敦吾毫不考虑个人安危,马上动身到头人家中诊治。三天之后,病人退烧,五天之后就饮食如常。瑶族头人大喜,一定要和易敦吾结拜兄弟,请易敦吾喝酒,吃活猴脑(这是瑶族最高贵的待客礼宴),还送许多礼品给他,易敦吾不收受任何礼品,只要求允许医疗队进山为瑶胞治病,防疟。头人爽快应允,并立即派人下山恭迎医疗队。

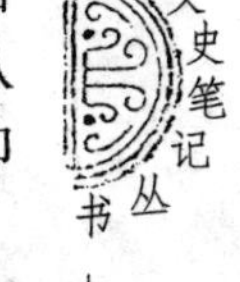

医疗队在瑶山跋山涉水走遍村寨,为瑶族防治疟疾和大颈病,宣传卫生知识,防治瘴气等,历时半月返梧。

梁培基的悬念广告—“发冷丸”

李晃春

我国三四十年代,奎宁丸还未普遍使用,疟

疾成了湖广和云贵地区最可怕的疾病。边远地区的百姓,多用迷信的观点来解释病因,如广西龙州一带有“鸡鬼”作祟之说,而云南则认为是“琵琶鬼”附身。至于治病,或乞求仙婆施法驱邪,或请巫医服符水,此外别无他法,故死亡率甚高。

当时,广西的梧州、南宁、百色和龙州等地,蓦地出现了一批街招队, 专在当街闹市书写广告,字体大小视建筑物的面积而有所伸缩,但一般都十分巨大,占满整堵墙壁,十分显眼。广告的制作方法也非常奇特,所以给人的印象深刻。其时,笔者在梧州上小学,由居家到学校需经两条半马路,行走十五分钟。一天中午,我刚迈出家门,忽见对面高墙上出现了“梁培基”三个巨幅宋体大字,却没有下文。走不到五十步,又出现了同样三个大字。十五分钟的路程,此三字竟然出现五处之多,心中甚觉费解。旬日后,来了一群扛梯子、提油漆桶和扫笔的人,在所有“梁培基”三字下面增写上“发冷”两字。路人猜测其用意,一时众说纷纭,莫衷一是,甚至有人认为此乃仇家对梁培基之攻击行为。自此,“梁培基发冷”五个字在通街大巷的墙上又保留了月余。嗣后, 书写人又在 “发冷” 二字之下加了一个“九”字,变成“梁培基发冷九”。粤语“九”与“狗”同音,故见者初则忍俊不禁,继而捧腹大笑。此事一时成为梧州市民茶余饭后的谈资。忽忽月余,书写人又于“九”字中间加了一点,“九”字变

成了“丸”字，人们这才恍然大悟：原来是卖发冷丸的。

“梁培基发冷丸”以其广告手法之独特，药石功效之显著，一度风靡西南各省。故当时桂、滇、黔一带之穷乡僻壤，大有人不知中国有个蒋介石，但无人不识梁培基者。据闻，梁在北方也曾用此法做广告，效果亦佳。梁本人因此而发了大财，可谓名利双收！试观今日广告之多，竟未有此招之奇焉！

张咏仙经营红膏药之道

刘郁卿

抗日战争期间，柳州有两种专医疮疖的药，一名“雄珠草”，一名“红膏药”。

雄珠草为袁某所制，红膏药为张咏仙出品。两人均自称为祖传秘方，自制应市。据群众反映，用雄珠草医治疮疖，效果比用红膏药好。患者一般在药房没有雄珠草时，才买红膏药。但袁某不善经营，产品的制造与推销，时有时无，因此，雄珠草虽有好疗效，药房也乐意代销，但结果事业竟未成功。

万灵堂红膏药的创制人张咏仙则专心经营，巧于心计。最初，从选料、配方、熬制到包装发货，均自己动手，并亲自将膏药送到各药房，

制定诸如先卖后结帐、卖不出可退货、残次商品包退换、药房可免费给患者试用等优惠办法，使红膏药逐渐在社会上颇有名气。

此外，张咏仙经常到各药房了解销售情况，发现存药不多，便立即送货上门。当时某大药房对其红膏药不屑经营销售，他便出钱叫同乡到该药房点名采购红膏药，使该药房不得不经营红膏药。1948 年，张咏仙在柳州市庆云路独资开了万灵堂药房，以推销红膏药为主，兼营中成药。这时万灵堂已初具规模，仅包装工发展到三四十人之多，为柳州市新药业大户之一。

靖西端午药市

邓庆荣

靖西县位于广西西部，地处云贵高原边缘，境内多岩溶山地，且气候温和，盛产药材，举凡熊胆、麝香、蛤蚧、蛇类、猴结、穿山甲、虎骨、水獭、田七、山楂、青天葵、两面针、锦地罗、黄精、环草、山豆根、石斛、金银花、岩黄莲、独脚莲、七叶一枝花、百合、山药、良姜、沙姜、白芨……等不胜枚举，即使龙涎香亦有小量。

靖西有“五月五，万物皆药谱”之谚，端午药市已经数百年，历久弥盛。每当药市，即百里外如德保县、那坡县，以至越南之医家药商，纷纷前来参与药市交易。四乡之老妪髯叟也负囊求沽,有人虽不买卖药材,也以饱吸药味,防疫避瘴而逛药市。更有祖传壮医,或怀奇方绝技,也占地设摊,一显身手,或前来探讨医术,交流经验,故街上推拿按摩、艾灸针砭、夹痧拔火罐等触目皆是。是日车推肩挑,大街小巷满摆着上千药材摊。除上述药物而外,尚有桂枝、桂叶、鸡血藤、过江龙、千斤拔、金不换、鹅不食、打不死、救必应、九龙穿等不下五六百种,应有尽有。谚又有"周年一逢端午节,千根万叶皆成药"。傍晚售不完者,则随地倾倒,虽所在狼藉,而药香满街,邑人亦不责怪。此外穿山甲、果子狸、山鸡、山瑞、鹧鸪、飞虎、猫头鹰、松鼠及各种鸟类、小动物等都于是日应市。以此日药真价廉,不说本地公私药店、酒饼作坊及个体壮医争相选购,即外地也前来大批量进货。正午为药市高潮,此时只见万人摩肩接踵,挥汗成雨,靖西端午药市,独步区宇,遐迩驰名。

药市弥增端午节日浓重气氛,是日县邑家家户户悬挂艾虎蒲剑,大人饮雄黄酒,小孩都点雄黄于前额及肚脐,并沐以熊胆草汤,又以雄黄、苍术、丁香、白芷、甘松及香草配成香粉,盛于香包内。香包各地多制作花、鸟、虫、鱼之型,靖西则以彩布作成小布猴,小巧玲珑,五彩缤纷,状极逗人,小孩佩之以除昆虫,散浊气,驱毒保洁。

李上昭先生捐资办学

陈秉燊

李上昭字明钦，荔浦县马岭镇凤凰坪人，生于1879年，前清贡士。

民国十七年(1928)，他和地方人士韦应唐、黄义云、伍成贤等捐资捐地筹建了马岭小学(完小)，民国二十六年(1937)，李本村兴建小学，他又献出二亩多保水良田作为基地，并捐木材供建校舍用。在他带动下，群众自烧青瓦，筑墙建了四间教室、一间教师宿舍及小厨房。

民国三十年(1941)，荔浦中学扩大招生，县参议会通过另辟新址拨地捐资建荔浦中学的决议，并组建"荔浦中学建设委员会"。李先生是荔中教师并为委员之一。他率先一次性捐稻谷一百二十五担作为建校费用。其后每年捐谷五十担给荔浦中学作教育经费。我在荔浦中学任事务员时，就曾亲到其家向其子李翠禧收取过捐谷。

当时物价飞涨，民不聊生，李上昭先生儿孙众多，生活并不富裕，但他却能慷慨捐资兴学，真是难能可贵，令人敬仰。

李上昭先生一生热爱教育事业，儒雅方正，诲人不倦，深受全县人民好评。1941年病逝。

1945 年迁葬时，县府、县参议会、国民党县党部联合呈请广西省政府表彰李上昭先生，广西省政府主席黄旭初送来了挽联：

毕生不负乡评，好义急公称善士；

有子能为世用，议坛学校仰遗风。

任中敏办学二三事

刘 劭

抗日战争期间，任中敏将在南京创办的汉民中学迁至桂林，其艰苦办学，言传身教的精神，至今犹为人所称道。

任中敏号二北，江苏扬州人，长于词曲，篆书飞白俱佳，二北词曲蜚声江浙，人称才子。任早年为胡汉民秘书，有知遇之恩，遂于国难当头创办汉民中学于南京栖霞山，日寇南逼，乃于1939 年迁校至桂林穿山之麓。重建校园之初，任亲率师生员工披荆斩棘，于临河处搭盖竹篱茅舍，因陋就简，如期开学后，仍以身作则，每日课余率众整修，使之日趋完善。次年春，洪水猛涨，殃及校舍，任又率师生择山北高地(即今桂林一中校址)再次重建，规模宏大，工程浩繁，任上下奔走呼吁，惨淡经营，未几，不惟课堂宿舍俱全，体育场之规模和功能在桂亦首屈一指。1944 年秋桂林沦陷，桂市大、中、小学一概停办，惟汉中

在任中敏率领下举校西迁贵州榕江续办，沿途且不停课。翌年9月日寇投降，桂林各校教师尚待集中，而任已率汉中师生迅速回到穿山，于当年11月复课，新招高、初中各一班亦同时开学。

任中敏在桂办学十年，对教学要求严格，且重视劳动教育，倡导体育锻炼，讲求环境卫生。他号召学生"严正考试，严正做人"。校园标语不多，惟校门两侧以大字书写"抬起头来"、"挺起胸膛"两幅，映入过往师生眼帘，精神为之振作。学校各项规定，任均要求严格执行，并以身作则，概不例外，其独子任有愈行将初中毕业，偶在食粽时将粽叶弃之于地，即按校规予以开除，以示公允。次年有愈另考入青年中学，任亲为其子肩挑行李，送至校门，此事当年传遍桂林。

任办学严谨，纪律严明，生活却与师生打成一片，始终与师生同劳动、同娱乐、同桌共膳。任曾与师生同台合演多幕话剧《万世师表》，感人至深；又曾独自登台以"吃冬瓜"三个字音(扬州话读"吃"如"七")唱锣鼓曲，引起满堂哄笑。

任中敏尊师重道，亦要求教师严于律己，作学生之表率，如发现教师教学有误或行为不当，随时以书面提出意见，教师如有不同意见，亦可以书面作答，如此往返辩论，不失民主作风，且有利于交流思想，使意见趋于一致。几乎所有汉中教师均与任校长打过此类笔墨官司，桂林市第一中学至今仍藏有当年任与教师之间打笔墨官司的往来信札。

杜聿明全州办学

伍邦彦

1938 年至 1944 年期间，杜聿明驻防广西全州县时，在全州文庙(今广播电视局一带)，创办了陆军第五军军人子弟学校。校长先后由该军政治部主任夏雷和杜夫人曹秀清担任，教师有军队的文官和地方上的学者。

杜聿明认为：抗战上策，利在持久。战区扩大，失学者骤多，而教育实为抗战建国的根本要图。

学校开办后，第一批招收学生七十余人。自第二学期开始，招收民众子弟入学，学校规模逐渐扩大。到 1942 年秋，已经发展到有高中两个班，初中八个班，小学十个班，共有学生一千一百余人，中学部改称大同中学。

杜先生提倡“文武合一”，要求对学生实行军事训练和军事管理，以期养成严肃整齐之习惯与奋发进取之精神。高年级学生每周有两个半天的军事课，还不定期举行实弹射击等军事演习活动。因而这所学校的学生，不但学业长进，而且还养成了服从命令、遵守纪律的作风。

杜军长对教师尤其尊敬器重。时逢战乱，流浪到此的学者、名牌大学的毕业生、思想进步的

知识分子，如杜雷(电影演员)、李景书、阎少复、周影等，都被聘请到该校任教。学校先后培养了一千一百多名高初中毕业生，在当时这个成绩是难能可贵的。

1942 年冬，第五军所属二〇〇师师长戴安澜，远征缅甸殉国，杜先生又倡议在全州蒋家果园(现县人民医院)再创办一所“安澜纪念学校”。学校破土动工时，时任军事委员会桂林办公厅主任的李济深，专程赶往全州县主持了奠基典礼。1943 年秋，安澜纪念学校正式开学，校长由戴师长的堂弟、西北工学院机械系毕业的戴子庄担任，招收高中机械科和初中汽车科各一班，学生一百余人。这所学校也为全州县培养了一批技术人材。

1944 年秋，日军逼境，学校迁离了全州。后经桂林、柳州、金城江、都匀、贵阳，于 1946 年迁回戴师长的家乡芜湖办学。1949 年 4 月，芜湖解放，私立芜湖工业学校并入安澜工业职业学校，改称“私立联合职业学校”，简称“联职”。1952 年，私立芜湖中学并入，改为“安徽省芜湖第二中学”，发展成为一所完全中学。

我请胡适题校名

钟文堦

1946年12月,家母病故,我从北平奔丧回家。离乡十年,举目所见,处处是日寇占领半年留下的衰败景象。县里仅有的一所公立中学,教具图书荡然无存。村上的一所小学,只见颓垣野草,一片荒凉。要想恢复,非群策群力不可。于是,我先把旧存的图书六百余册捐赠给蒙山中学图书馆,接着又把祖遗年收租谷七千五百公斤的田亩捐作村办小学的校产。此事得到父老兄弟们的支持,大家也纷纷捐资出谷,学校很快就办起来了。并商定以先祖父的名字作校名,称为“定荣纪念学校”。

那时,要在经济、文化都很落后的广西山乡办一所学校,确非易事。我想,学校办起来了,总得找一位名人书写校名。回到北平以后,我抱着试试看的心情,到北京大学找到胡适校长,请他题写校名。我与他并不相识。当他得知我的来意以后,先是爽朗地笑着婉辞说:“谢谢您的信任。我不善书法,难免贻笑大方。”我简要地向他介绍众人捐资办学的情况,并且再次向他提出请求。他一面听,一面点头说:“捐资兴学,很好。我写,我写。”五天以后,我依约再到他的办公室,

一张长一百二十厘米，宽三十五厘米的条幅果然写好了，题字是：

定荣纪念学校

胡适题

山标奖券和防空奖券

苏乐民

抗战前，南宁曾发售“山标奖券”，由南宁红十字会主管的山标厂发行，每张售价一角。每期发售奖券所得的收入，除中奖及各项开支外，剩余部分皆用于慈善事业。当时，奖券的发行范围仅限于南宁一地。

1937年，抗日战争爆发，敌机侵犯频仍，广西亟需筹募一笔经费以加强防空能力。次年，广西当局将“山标奖券”改为“防空奖券”，山标厂也改名为南宁防空奖券发行处，由政府主办。除在南宁设总处(今民生路棉布店)外，还在桂林、柳州、梧州和百色等地设立了分处，南宁总处的开彩台设在新西门城墙脚下(今西关路左侧)。

南宁防空奖券是估字的标，它有两种估法：一种是在《千字文》第一句“天地玄黄”始，至第三十句“臣伏戎羌”止的一百二十个字中，任点要十五个字，称为十五字标；另一种是在私塾课本的“万古文林盛，凌云吕宋扬，……游丁甘戴石，社老许招彭”中的六十个字中，任点要十个字，称为十字标，开彩后以中字数最多者为头奖，其余顺序分为二奖、三奖、四奖，奖金多少则视每期售奖券总收入而定，一般头奖有五六千元。其分奖提成办法规定，按每期总收入的百分之六十作为奖金，余下的百分之四十，扣除经费及其他开支外，剩余部分则上缴作为防空设备经费，各处经费开支有预算控制标准，不得滥开滥用。

奖券开彩日期规定：十五字标每月逢十开彩；十字标每月逢五开彩，每条奖券售价一角，在南宁市各主要街道均设有奖券售票站推销奖券。

1945年日寇投降，南宁防空奖券发行处随着撤销。

广西农民银行的实物借贷

郑家度

余从事金融工作数十年，只知在商品经济极不发达的时代，伴随着以物易物的商品交换方式而在民间盛行过实物借贷，而广西农民银行在货币已充分发挥其职能的三十年代仍经营实物借贷业务。此种现象，在全国乃至世界各国银行中，实为罕见，余谨记之。

民国二十六年(1937)1月26日，广西农民银行开业并在全省三十多个县、市设立分支机构，办理存、放、汇各项业务。开业时，广西省政府把原在各重要县镇和农产品集散地已经建立的农业仓库，全部划归广西农民银行经营管理，其中包括作为军粮而储备的稻谷一千四百九十八万六千斤。

经营农业仓库，办理实物借贷，是同农村贷款互相依存，交替进行的，这是广西农民银行充分运用间歇资金的一着高招。每年二三月青黄不接之时，省农行就把储存的谷米直接向农民贷放，到秋季收回，按贷出数量加息谷二成。从1937年至1939年的三年里，共贷放谷米八百九十四万七千六百四十八斤，收入谷息一百七十八万九千五百二十九斤。

广西农民银行的实物借贷，到1939年下半年方停止办理。

十足准备金的银行兑换券

郑家度

光绪二十九年(1903)，广西官银钱号在桂林成立，由藩司刘心源兼任总办。嗣后，又在梧州、南宁和龙州设立分号。

广西官银钱号破天荒第一次发行的兑换券，是向上海订印的。兑换券选用日本官造纸印刷，是凸凹版五彩面空白凭证，有正联和存根，与现时使用的支票相似。兑换券运回后，先由书记填写发行行名、票面金额和编列字号，最后加盖藩司印信。兑换券的面额以银两为单位，均以花银为标准成色(平色则照各地市平核计)。面额以“宝”、“藏”、“兴”、“焉”四个字分别代表十两券、五两券、一两券和七钱券。后来又加编纹银七钱三分五厘券(相当于银元一元)。

翌年春，兑换券(共计花银十万零八千七百零五两)投入流通。开业之始，广西官银钱号即提出“以推行钞票为第一义”的宗旨和“不求生息，以利流通”的经营方针。此前，清廷曾在《通用银钱票暂行章程》中规定：“凡发出此项纸票，无论官商号，必须有现款十分之四作为准备。”银行为扩充营运力量，总是千方百计扩大发行纸票，有些地方银行甚至在准备金不足四成的情况下，滥发钞票。而广西官银钱号却规定“凡商民来号购票，立兑现银，不准丝毫拖欠，官号与商号同一办法”，并实行“总期存票少一两，必现银多一两，票与银数目相抵”。此种以十足准备金发行银票的做法，在全国乃至全世界的众多银行中，可谓绝无仅有。

由于实行稳妥发行的方针，兑换券的信誉颇高，受到了商民的普遍欢迎，开业不到半年，发行额已达四万八千两。

但是，由于各种面额的兑换券都出自同一印模，票面大小相同，花纹式样相似，票面金额又都是用手书写，所以给不法之徒有了可乘之机。他们将票面金额擦洗后另行填写，以少改多，蒙混使用。由于手段高明，几可乱真，一时也难以辨别。故此，广西官银钱号不得不在是年五月暂停发行，进行清理。

民初南宁商会的商团和护商队

雷　成

南宁商会有商团和护商队，为维持治安的武装组织。

民国 7 年至 8 年间(1918—1919)南宁商会

组织商团，由各商户选派部分青壮店员工人参加，配备枪枝武器，同时，还雇请部分专职人员负责，经常在沙街(今解放路)商会后面广场操练。民国9年(1920)奉省令解散商团。民国10年(1921)时局不靖，商会又恢复商团组织。当年商团的组织不健全，时办时辍，尤以大革命时代为甚。

民国22年(1933)6月，全省举办清乡，各地民团亦有相当组织，可以维持地方治安，省方乃令各县商会将护商队及其类似组织一律裁撤。南宁商会商团奉令裁撤之后，各商店的青壮员工，仍须参加政府所组织的街甲民团训练。

抗日战争胜利以后，伤兵游勇以及帮会分子骚扰闹事，治安堪虞，商会经执委会讨论决定，于1946年1月13日，组织成立南宁商人自卫队，仍由各商户选派部分青壮员工，以及雇请部分专职人员组成，由李贞任大队长，以维护各工商业户的利益和安全为名。但因经费拮据，组织涣散，不起实际作用，形同虚设，不久自行解散。

1949年，国民党部队节节败退，市面更形混乱，南宁区专员公署为保护交通安全，会同商会于8月27日，组织成立护商大队，由杨震伟(瑞)、谢登福任正、副大队长，队员二百多人，全部招聘，薪给待遇优于现役士兵。护商大队全副武装，俨若现役军人，枪枝弹药等武器均由专署拨给，由专署领导，经费由商会向各工商户募捐、摊派汇集供给。各工商户如水陆运输货物来往时，得雇请护商大队派武装士兵护送，照付护卫费用。

同年冬，南宁临近解放前，护商大队杨震伟等经中共地下党员启迪引导，同意起义，于12月4日维护市面治安，迎接解放军进入南宁。

“张永发”的染水——永不褪色

刘开泰

在山水甲天下的桂林十字街，曾有一家名闻遐迩的“张永发”布店，其遐迩闻名，固然原因多种，但最突出的是染水驰名，永不褪色。“张永发”门匾金字赫然，门前挂两块大广告，油漆得光亮亮，上书：“本店采用上等蓝靛，专染家用蓝布，货真价实，童叟无欺，货物出门，包退包换。”

老板张海清命店名“张永发”(永远发达)，志气恢弘，更因经营有方，信誉至上，故而生意兴隆，红极一时。首要的是染水驰名，永不褪色，正合顾客心理，因而染出的布，不论多少，总是当日货，半日便卖光。有时顾客竟然要货架上染色如真布的模型。老板只好说：“此布早已有人订购，你如需要，可以预订，两三天内取货!”不少顾客先交钱，后取货，久而成习。染店总是门庭若市，应接不暇。老板心细，对女人头巾特别注意加工加料，硬是做到头巾用坏也不褪色。头巾是活广告，加上“三个女人成条圩”，一传十，十传百，“张永发”自然美名远扬。相反地，老板对办丧事时死人的用布，也就马虎点，明知一次过，但也说在明处，而且价格从廉，顾客也满意。张老板逢年过节还给裁缝打“红封包”，感谢他们的介绍与支持，同时征求师傅们的意见，按其意见改三丈二的大布为四丈四，扣门由一尺改为一尺三，等等，这样既便于裁剪，又很省布，为裁缝省工，为顾客省钱，因而裁缝师傅有口皆碑，都成为替“张永发”作活宣传的“红娘”。

难怪桂北一带有一俗谚：“张永发的染水——永不褪色。”

郑观应主张自办西江轮运

何家亮

中日甲午战后，马关议和，日方向清政府提出增开包括梧州在内七处通商口岸及遣使官于各口的要求，为李鸿章所婉拒。

1896 年，为维护我内河主权，避免日本染指西江，上海轮船招商局会办郑观应两次从广州沿西江抵梧州。为自办西江轮运作实地考察，并作《游西江即事》一首表达了对列强觊觎西江的愤懑和遏止帝国主义染指西江的阴谋的愿望，其诗云：

法国垂涎久，英商欲远谋；

狂澜谁力挽？变法障东流。

翌年2月，郑在《谨呈管见十条》中，向清廷力陈自办西江轮运的意见：“西江客货日多，获利亦厚，本局亟宜仿照太古定造新船，由广州至梧州先试办一船，由香港到梧州先试办一船，每处造货驳两只，专备拖带。”

1898年1月，英国迫使清政府签订了《中英续议缅甸条约》，梧州遂被开放为通商口岸，西江之通航权亦为英人所享有。

郑观应自办西江轮运的愿望，虽未能实现，然其维护主权的爱国行为实可传扬。

“朱荣章号”轻型战斗机

梁志强

广西航空学校机械厂（前身是柳州机械厂）自1933年春始制初、中级教练机，一直以英国的“亚维安”、“吉的”式为样板，依样画葫芦进行仿制。所需零配件和原材料均系舶来品。到1935年，该厂已积累不少制造飞机的经验，并培养出一批熟练的技术工人，设备也日臻完善。在此情况下，厂方和一些工程技术人员开始萌发自行设计制造新式飞机的念头。

同年夏，以厂长朱荣章为首组成"新机试制组"，着手研制轻便双翼单座战斗机。经一年多反复试验、改进，终于在1937年夏问世。经有关专家多次在地面和空中试验，认为优于同类进口机。它具有三个特点：(1)性能先进。时速比同类进口机快10%~15%，飞行高度达5500米；(2)节省燃料。每小时电油消耗只需12~13加仑；(3)安全系数增大。尾部安定翼上下高低角增大到7度，上翼安装了自动保险掣，保证坠降安全，下翼设计比上翼短而小，利于驾驶员俯视，保证着陆准确。对此，凡驾驶过该机的飞行员均表示满意，由衷地称它为"朱荣章号"。广西省政府更是将其作为本省当年的重大成就载入《大事记》。

抗战初期，"朱荣章号"与其他飞机一起，参加了保卫南宁领空等战斗，为抗日战争尽了自己的一份力量。

桂林"鸿庆隆"的用人之道

徐祖宏

座落在桂林市小十字街口的"国营鸿庆隆商场"的前身，是我父徐代廉公创业于1921年的"徐廉记"，后改名"鸿庆隆"。

鸿庆隆开店之初，主营南北杂货，兼营油、盐、茶、米、酱、醋、糖等生活七宝。父亲凭着多年积累的一套生意经，精心经营，业务日臻发展，直至前设店，后开厂，实行自产自销、工商贸一条龙经营，实现了“大展鸿图、生意兴隆”的寓意，成为桂林市三大店(鸿庆隆、均昌、五昌)之一。

在业务经营上，根据本身的特点和优势，实行工商贸一条龙，狠抓拳头产品，深购远发，批零兼营，薄利多销，父子兵轮流上柜，注意员工福利，搞好劳资关系，并不断发展和深化。具体做法是：一、注意员工福利，奖罚分明。一方面制定一些福利待遇措施，既不薄，且能经常兑现；另方面量才录用，按劳付酬，使员工薪资不少于同行业。二、对于业务上的行家里手，薪给较丰。三、对因物价波动而产生的消极情绪，采取月薪以粮价实物作底数计发，不致降低生活水平。四、每人每年都有一次加薪机会，以保持年年有奔头的稳定心理。五、遇中秋生意好，获利多时，全体员工发“三薪”。六、每逢加班加点工作，则供应较丰盛的早、午、晚餐和宵夜。七、员工在店食宿免费。八、每月初二、十六“打牙祭”两次，年终牙祭和年初起牙宴席特别丰盛。九、年终视各人辛勤程度和能量大小，赠以大红封包，优者重奖；学徒青年另发服装两套。十、对有才有德、经营业务发挥能量较优者，给予提升；对个别屡犯店规者辞退，借此永葆企业蓬勃发展的势头。因此，生意得心应手，资产积累越来越大，从十来担油(千把元)开张滚到1956年公私合营，已增加投资二十多倍，是当时桂林大户之一。

北海日月贝

莫培滔

日月贝是一种海产贝类，两广人称它为大蚬，呈扁圆形的石灰质薄壳。左壳，淡玫瑰红或肉红色，色泽光亮，上面有一圈一圈呈放射状的同心生长轮，有如一轮光芒四射的太阳。而右壳呢，表面一片白色，宛如一个银白色的月亮。故有日月贝的美誉。日月贝这种左右片外观不同的原因，是右壳埋入沙滩或泥土后，长久不见天日；左壳朝天，接受太阳光照射，久而久之，呈朱红色，为别具一格的阴阳贝壳。北海出口以日月贝壳为原料制成的千姿百态的工艺品，源源不断地供给远方的旅游者鉴赏。

日月贝不但外壳美丽奇异，且贝肉亦是一种海味佳肴。据营养学家介绍：肉富含蛋白质、脂肪和多种矿物质、维生素，肉的味道除具有海鲜的鲜、香、甜、清外，又有鸡、鹅、鸭、鱼、虾、蟹混合的味道，令人百吃不厌。近年来，科学家从贝肉中提炼出一种抗癌物质，使日月贝身价百倍。这里值得提一笔的是，贝壳之间一条连接的闭壳肌肉，加工干制后谓之“带子”。侨居海外的华人，即使是数百港元一斤，他们也乐意购买，或作自用，或作馈赠，一则因味道鲜美，二则是“意头”好，“带子带孙”，“子孙满堂”。

每年5月至9月，是日月贝捕捞季节。如果此时到北海旅游，人们就可以大饱眼福、口福。

无眼鱼

廖和康

桂西山区乐业县同乐镇上岗村安烈洞，曲折幽咽，潜流弯洄。在清滢如镜的流泉中，生活着一种怪异鱼类——无眼鱼。

由于终生生活在溶洞内地下水的缘故，此鱼眼表面已被半透明之表皮所覆盖，眼球只是肌肉质之实体，实为无视神经的退化器官，故俗称“无眼鱼”。

无眼鱼的头顶骨外突成一双圆角，角的顶端下陷，有如马首。吻部尖长而稍平扁，酷似鸭嘴，但有粗壮之吻须与颌须各一对。体呈近似三角形，全身裸露，通体无鳞，呈玉白色半透明状，故前鳃和内脏隐约可见。无眼鱼体长不满六寸、重不足三市两，但五鳍齐全，与一般鱼类无异。所不同的是其胸鳍长及腹鳍，腹鳍又达臀鳍，腹部圆突如鼓。

无眼鱼昼伏夜出。除六月繁殖季节或暴雨前后常群集于洞口外，白天很难见其庐山真面目。但每于子夜，无眼鱼即游弋于洞口浅水处觅食嬉戏。若遇皓月当空之时，清泉流石，游鳞可数，殊胜景象尽入眼底。上岗村村民生活用水均取于此洞，因见此鱼长相怪异，以为“龙”之化身，故敬之若神，相约禁食放生。

水产专家方世勋为得此鱼，不惜跋涉千里前往捕捉，但是无眼鱼感觉极敏锐，稍有响动即匆匆逃往水深处，藏匿于石缝之中，方等于洞中蹲伏数夜，使尽浑身解数，始得四尾，制成标本后现存于广西水产学校。据方先生云：洞中之水源清流洁，无任何污染。无眼鱼以附着在岩石上的苔藓和水中的藻类为食，故其味之鲜美，非一般河塘鱼所能及。但因为此鱼体型小，所以无经济意义，仅可供观赏耳。

“没六鱼”和“没六鱼洞”

方世勋

“没六鱼”，学名唇鲮(Semilabeo notabilis)，是 Peters 氏于 1880 年在香港采集的一尾三百四十毫米长的标本经鉴定后所命名。但据伍献文教授分析，港岛无此鱼的生活环境，故认为是珠江所产，而由鱼贩运至香港市场。

唇鲮的俚俗叫法颇多，或因其喜急水，常顶流，即渔民所谓之“只上水，不落水”，故称“没落鱼”；或因其常栖息于山溪流水的岩洞之中，又称“岩鱼”；或因其体呈长筒形，深栗壳色，有纵纹，形似木头，亦称“木头鱼”；然而叫得最普遍的还是“没六鱼”。“没六”者以其重量不达六市斤之所谓也。“没六鱼”虽躯体硕大，但肉嫩味美，尤以眼球及吻部为美食家所乐于下箸，实为筵席上之佳肴。

广西平果县城郊大岭村有一“没六鱼洞”。此洞紧靠右江，位于石山之下，为一村叟所发现，此公常于附近劳作，每至此，所携之爱犬旋即失踪，未几却叼一硕大没六鱼摇尾而来。久之，深以为怪，后随迹始觅得洞口，方知该洞有鱼。于是每日货鱼于市，家境因此渐康。其奥秘后为乡里探知，往捕者日众，纠纷亦随之层出。

1949年后，此洞为全村所共有，纷争始平息。七十年代笔者访问时，洞口已略事修饰，并以铁栅加锁。

“没六鱼洞”曲折蜿蜒，嶙峋无路，最狭窄处仅容一人匍匐爬行。至百米深处，渐闻水声，随见一大空间，半淹于水，水深及膝，水清流急。据向导云：前方有一主洞，每年11月至次年3月，“没六鱼”随地下水由主洞游出，然后分别从两侧洞回归右江。届时于主洞口设一木笼即可捕捉，所获甚多。而5月至9月则相反，“没六鱼”则由右江抢水进入两侧洞，回归主洞。可能洞与暗河相通之故，“没六鱼”进入主洞之后便去向不明。若于此时捕捉，则所得寥寥。

桂林王城之今昔

毛松寿

桂林王城乃明靖江王府所在地。自第一代靖江王朱守谦至末代朱亨歅共十四代，历时二百七十年。王城筑于洪武二十六年(1393)，有城墙，其周长为1783米，南北深556.6米，东西宽为333.5米，占地面积185626平方米。城墙辟有四门，至今尚存，即东面之东华门(原称体仁门)、南面之正阳门(原称端礼门)、西面之西华门(原称遵义门)、北面之后贡门(原称广智门，今为广西师范大学之后校门)。王府建于独秀峰之周围。其间宫、殿、堂、亭、台、阁、室、轩,无不完备。中有承运殿,后有寝宫;独秀峰左右为宝善堂、尊善堂、日新堂;亭有“清樾”、“喜阳”、“拱秀”、“望江”;台有“凌虚”;阁有“中和”;室有“延生”;轩有“可心”;此外还有御苑。

清顺治五年(1648),清将孔有德据此。顺治九年(1652),农民军首领李定国攻占桂林。孔有德纵火焚毁靖江王府,然后全家自杀。清人戴文灯《靖江故邸》诗云:“行人寻劫烧,野老话沧桑。”戴璐诗云:“铜驼泣后宫犹壮,苍鼠悲来苑亦荒。”彭而述诗云:“无情最是此中山,阅尽王孙只等闲。尚有高台堪命酒,兼逢胜侣一开颜。石鲸薜荔秋虫出,玉甃梧桐野鸟还。莫向西风增感慨,汉家楼阁幕云间。”

顺治十四年(1657),王府故址建为贡院,为科举考试“乡试”之所。

民国十年(1921),孙中山集师北伐,驻节于此。此后辟为中山公园,并建有中山纪念塔与仰止亭,亭内镌刻“中山常在”四字。其间房舍多间,抗日战争爆发前曾为桂林中学校舍。1936年广西省会自邕迁桂。此间即为省政府各厅办公之处。原有房舍已全部改建成宫殿式建筑,颇为壮观。解放后,王城曾作军政大学校址。其后,王城范围内全部建筑物统拨作广西师范大学校舍。

当年靖江王府及王城之遗迹尚存者,除城

墙及四门以外，王府内之高台及府前门之石阶、云梯(石刻云状)、石栏杆与月牙池等，均尚完好，足供中外人士参观、游览及考察。

宁 武 庄

陆君田

宁武庄是武鸣县城西今之宁武乡的一个山庄，1914 年，陆荣廷买下这片约莫四五十亩之地，营建宁武庄，并将附近二十里长两里宽的丘陵秃岭全占。动用五百名工兵，种上松树，林场内开垦旱地二百亩、水田一百亩，四面设岗护林。有驻兵标营。宁武庄建有一百多幢旧式平房，内区为官眷住宅，建有一间陆氏家祠，除供奉陆氏一派宗亲之外，还供奉了陆荣廷的恩师、泗城府尹王方田的神主碑和两广总督岑春煊的禄位碑，并排竖立在正面神坛上。神坛下面竖陆荣廷四尺高的半身像。外区为圩场。内外区各建一座戏台。整个宁武庄似村子模样。

庄园于 1915 年落成。辟一公路和一轻便铁路连接垒雄村、陆业秀(陆荣廷之父)陵墓园林与武鸣县城，安上发电机，利用电灯照明。1917 年 4 月，大总统黎元洪誉陆荣廷有“再造共和”之功，特任为两广巡阅使，但陆不在南宁或广州设署办公，却带一批幕僚坐镇宁武庄，遥控两广军政，指挥护法和粤桂战争，俨然为西南的政治中心。一时冠盖云集。小小山庄车水马龙，迎来送往，入夜电炬辉煌，弦歌荡漾。

1921 年 7 月，陆荣廷被陈炯明战败，粤军师长洪兆麟进军武鸣，宁武庄付之一炬，只剩下几幢残骸，徒令后人凭吊罢了。

壮族泼泥节

谈 琪

聚居在广西西林县一带的壮族，盛行着有趣的泼泥节。

每年农历四月初八过后，便是农忙季节，在水汪汪的田垌里，男人赶牛耙田，妇女扯秧插田，歌声、笑声和吆牛声汇成春插大合唱，热闹非常，好一派农忙景象。人们把淌得一身泥巴视为乐事，男人故意催牛快耙，使污泥溅往身上，妇女则用力甩秧把，把泥浆泼到同伴身上，故意引起对方的兴致，你泼我，我甩你，互相间搞得满身都是泥，如有过路的小伙子，不论是熟人或生人，田间的姑娘们绝不放过，必把他泼得稀巴烂方休。调皮的姑娘还挑逗地发问：“阿哥，你想吃李果吗?”当你来不及置答的刹那间，泥巴就像雨点般的泼到你身上，如果你夺路逃避，姑娘会取笑你是胆小鬼。所以，知情的人就挽起裤脚，下田去泼泥还击，在田里打一场激烈的泥巴仗。姑娘们人多势众，打得你无法招架。这时你必须抓住目标，专攻一个，令她难以抵挡，使她的同伴为了解救她而放松攻击或休战。

当你带着满身泥浆告别时，姑娘们会用甜蜜的歌声把你送往远方。

壮族的“出生标志”与“助力酒”

覃昌平

靖西县壮族有一种习俗，谁家有婴儿呱呱坠地，家人便欢天喜地采来柚树叶或橘树叶作为“出生标志”挂在木楼门前。生男的挂柚树叶于大门左边，生女的挂橘树叶于大门右边。意在向人们宣布：我家添丁增口了！婴儿“出生标志”选择常绿的柚、橘树，乃示婴儿降生，生机勃勃，长久不衰；又祝愿婴儿健康成长，更希望婴儿将来的生活似柚树花般芳香，似橘汁般蜜甜。

挂出“出生标志”后，三天之内，不管是谁，不论男女，不分生人或旧友，登入其门，主人即端出香醇的米酒，热情款待。人们习惯称为喝“助力酒”，意思是喝了酒，好助婴儿一把力，让他(她)快快长大成人。此时融融人情，欢声笑语，一派喜庆的气氛。客人喝了“助力酒”之后，双手奉杯还给主人，同时说上几句“助力”的话：“米酒香，够力量。小婴儿，爽爽长，康壮壮，来日是个好儿郎。”主人听了会眉开眼笑，高高兴兴地连声说：“谢谢！托福，托福！”

凌云县泗城壮族夜婚习俗

杨相朝

凌云县泗城镇壮族有夜婚习俗。它的形成是对明清两代土司的“初夜权”的反抗。平民婚娶选择夜深人静的时候悄悄进行，以避免土司对新娘的糟踏，久之而演变为独特的夜婚习俗。

入夜二更，婚娶两家各于堂中置喜馔一席，席之两端立双喜大蜡烛，请有德望之二老各燃其一，并念韵语各两句，一唱一和，谓之“发烛赞”。女家新娘先拜天地，次拜祖先，然后升堂入席，曰“坐醮”，即壮语喜婚夜饭之意。由有德望老者为之安席，杯筷凡三举，后进饭面各一碗，逐件诵赞词或杂以土歌：“点大烛坐醮，捧碗饭在手；举筷凡三次，奋发此一生。女大终须嫁，男大自当婚；新人来拜堂，家中喜洋洋。今日结良缘，此后吉鸿昌；夫妻同协力，成家业兴旺。但愿好日子，种田养猪羊；岁岁六畜旺，年年五谷丰。恩深是父母，恩爱成夫妻；同心共甘苦，黄土变成金。艰难齐克服，幸福共同享；前程似水长，白头偕到老……”赞词可长可短，意在鼓励新人今后成家立业。坐醮前父母已密置金指环藏于饭内，坐醮者举筷动餐时拨取戴于指上，有“宝中得宝，美满称心”之意。

男家则备花轿一，轿后插弓箭三支，铜镜一方，通书一本，为压邪之用。夜深新郎偕陪郎二三人，迎亲婆一人，往女家接新娘。女方家长辈出迎招待，新郎与陪郎分坐屋堂。进茶后，新郎、陪郎入席，酒必三巡，菜上十道，每道菜吃一口，不吃则被旁观的众亲友取笑。直至屋内长辈高呼“吉时到”方罢宴。新郎肃立中堂，伴娘扶新娘出，与新郎并立。大门坎铺以竹席一张，上置白米一盘，点两头灯一盏，以金竹扎成小梯架于竹席上。新娘新郎先拜祖先，次拜父母，然后从大门越席而过，以两头灯不熄为吉利，此名曰“踩利席”，含古壮语“龙利”(出嫁)之意，又带有汉族从此步步登高的意思。出门后鼓锣前导，火把随后，亲友成群陪轿直送至男家。新娘进门又须按吉时，若吉时未到，夫妻均在门外暂候，有须等至天明方能进门。

解放后，因受到新时代、新思想的影响，这种夜婚习俗已自行消失。

垦荒植棉

覃剑萍

解放前,我家乡东兰县红水河两岸壮山,每年三月木棉吐艳,一群群艳妆娇娆的壮家姑娘,沐浴着明媚的春光,挥动锄头,垦荒开山。一串串诉述心怀的山歌声,随风飘荡,顺水轻流:

枫叶绿牙牙,鹧鸪叫喳喳。
姐妹挖棉地,歌声洒山洼。
播下情和爱,留下满山花。
白云落壮岭,姐姐到夫家。

阳春三月邀请众姐妹上山垦荒植棉,乃是我们壮家姑娘出嫁后一次隆重的创业活动。这天,远近女伴亲友按照传统惯例,从四面八方云集到出嫁姑娘的夫家荒山上,少则二三十人,多达百余人。她们精心打扮,衣着一新,犹如赶歌圩一般。劳作间,她们笑语欢歌,热闹非凡。

过去婚姻包办,女子不落夫家。但垦荒种棉,却是表白出嫁姑娘创立家业的心愿,遵循男耕女织之典训,而且还让女伴亲友欣赏其夫家之山水风光,提供一个借此寻求爱情之机会。这种别有新意的协作劳动,一呼百应。来人越多,出嫁姑娘越体面,夫家更光彩。这天,夫家要杀猪宰羊,打豆腐圆蒸五色糯饭,送到地里热情款待。晚上，主家隆重设宴慰劳客人，并邀请全村姑娘、媳妇出席作陪。入夜之后，四方八面赶来对歌的后生们涌进门来，物色对手，唱歌谢劳。主家忙着摆设歌台，端酒送茶，邀请男女就坐对歌。主家的左邻右舍，也都摆设歌台，把对歌的男女邀请过去，分享夜歌之乐。

是夜，全村男女老小团团围坐，陪伴双方歌手欢唱，直至深更鸡叫。按照民族惯例，歌手们先唱风调雨顺，棉丰粮茂，人畜安康。吃过夜餐，双方才吐露爱慕之情。从此山歌越唱人越醉，衷肠越诉情越浓。有些不便在人前谈情说爱的男女，则双双移步出门对歌。黎明时分，他们相送告别，难舍难分。山歌洒在山路上，洒在山林间：

三月初逢好心欢，几多情意留花间。

小哥家乡棉地好，明年小妹来结缘。

……

过山瑶婚俗

黄　钰

过山瑶分布于我区金秀、荔浦、龙胜、田林、贺县、宜山等县，婚俗是女婚男嫁，别具一格，饶有韵致。

结婚时，男到女方成婚。婚姻礼仪，十分隆重。结婚当天，新郎撑伞步行，男方家族全体成员陪送，组成浩浩荡荡送亲队伍，前往女家。女家也在当天，派出庞大迎亲队伍，挑着酒菜，敲锣打鼓，吹奏唢呐，到半路迎接，十分热闹。迎亲送亲队伍相遇时，即举行接亲仪式，就地休息，共进“接亲餐”。新郎来到女家门口，举行洒水驱邪仪式，有的还在门旁路侧杀鸡祭煞除邪。入夜，火塘升起熊熊篝火，中堂点起明亮的松光，鸣炮奏乐，预示拜堂仪式开始。在一片欢呼中，新郎新娘由师公、伴郎、伴娘陪同引出，双方交拜，互饮合欢酒。然后，新郎新娘对双方尊长按亲属和宾客辈分先后，分别逐一参拜。每拜一批，师公均致诵词，并奏乐鸣炮，表示庆贺。受拜者按辈分亲疏酌量赠送新娘新郎礼物一份，并讲彩话祝福，表示祝贺。这样从晚膳后开始，一批一批参拜，直至拂晓，有的甚至要日上三竿才能停止。婚宴举行，最少一天一夜，最多三天三夜。在此期间，摆起歌堂，男女尽情歌唱，通宵达旦，日以继夜，至婚宴散席方休。

婚后，新郎定居女方，改从女姓，生育子女，承顶女家宗祧。近些年来，有些地方婚俗有了改变，开始出现两方走访婚俗，双方分别举行婚礼。婚宴、送亲、迎亲从简，双方亲属赠送婚礼品也只能一次。婚后所生子女，第一个必从母姓，第二个从父姓，第三个又从母姓，依此类推。日后子女长大，随父姓者，可回父家立宅安住，也可在女方分居立户，在生产上，一般是在女家生产一段时间后，又到男家生产一段时间。如此持续不已。一年四季,夫妻双双在两方家庭生活。待子女长大后,双方生产方由子女们分别承担。

盘瑶的庞桶药浴

黄汝珍

金秀瑶寨地处高山,终年多雾瘴。盘瑶同胞为祛劳防病,善用庞桶洗药浴。庞桶为杉木所制,长约三尺,宽二尺,腰呈椭圆形,可容水五六担。沐浴之水,伴以冷骨风、臭叶枫及石楠藤等中草药熬之。盘瑶妇女产后三天即洗庞桶药浴,连浴七日便可上山劳作如常。出生十余天之婴儿亦随母入浴,此法可使其日后免生疮疥。据瑶胞称,金秀瑶寨洗庞桶药浴之习俗历史悠久,老幼妇孺至今仍乐于此道。

盘瑶好客。有朋自远方来,必先招呼洗庞桶浴,客人不入浴,主家则不快。而入浴有"先客后主,先老后少"之规矩,惟客人出浴后,主家才按资排辈依次入浴。若为宾客,洗浴时总有主人在侧为之添加热水,伺候十分周详,使你有宾至如归之感。

笔者曾因公数度赴金秀瑶寨,当年瑶胞待我之盛情,洗庞桶药浴的怡然之感,至今仍记忆犹新。

笑　酒

蓝正祥

居住在巴马、都安、大化等县的布努瑶的“笑酒”妙趣横生，其乐无穷。

逢年过节，或是亲友来访，主人便拿出自酿的醇酒和宾客开怀痛饮，大家一起吟诵笑酒词和唱笑酒歌。笑酒词是把一个故事流畅而有节奏地吟诵出来。而笑酒歌则是把风趣的故事编成歌词吟唱出来，这时酒席上充满欢歌笑语。席间彼此也可以讲一些幽默的小故事来相互“挖老底”，提醒亲友注意改正自己的缺点。这些小故事寓意深长，所以被戏谑的人也不生气。

笑酒有个有趣的传说。从前，有个吝啬的女婿不尊重岳父，岳父来看女儿，喝点酒就被女婿竖眉瞪眼。寨上的人晓得后，便请女婿去喝酒。在酒桌上，人们讲羊骑狼的寓言。一人讲起，几人附和，讲了哈哈大笑，笑够了又继续讲，旁敲侧击地挖了女婿的底，终于让女婿悟出一个道理来了。从那以后，女婿对岳父的态度改变了。

笑酒既是布努瑶的一种娱乐方式，也是一种教育人、批评人的巧妙方法，极其有趣，深受布努瑶人民的喜爱。因而，布努瑶这种有趣的笑酒习俗，自古沿袭至今。

丢鸡蛋选墓穴

蒙冠雄

布努瑶家为死人选择墓穴时，常常不请外地的风水先生，也不用八卦罗盘，而是用丢鸡蛋的办法来确定葬穴，颇为奇特。

在死者刚断气时，必须马上在他(她)手掌心(男左女右)放一个鸡蛋，待选穴时才拿出来，做完一番传统的祭奠仪式后出丧。选穴时，由族中德高望重的老人或远近闻名的歌手拿这个鸡蛋在基本选定的山坡土岭丢抛，蛋在哪里摔碎，就确定那里为墓穴。

歌手从死者手中取出鸡蛋后，带上香烛纸钱、火灰，打火把出门去找墓地，到了预定的地方，歌手歌曰：

死去的亲人啊，
这里是凤的山，
这里是龙的地，
你是否高兴？
你是否满意？
你要显一显灵啊，
给我们做一个暗示。
你要是不高兴，
我左手丢下鸡蛋，

你右手就立即把它接住；
我右手又把鸡蛋丢，
你左手马上将它捡起。
你要是满意，
我左手一丢下鸡蛋，
你右手快当向它砸去；
我右手一丢下鸡蛋，
你左手就把它掐碎。

念唱完就将鸡蛋丢下去，如鸡蛋不破则另选别处；如鸡蛋丢破就定在此处，于是歌手又歌曰：

吔——
黄鸡引来金龙舞，
白鸡引来银凤啼，
我们给你找到了福地，
你永远在此地安息。

丢鸡蛋的方式各地稍有不同，有的在初步选定的地方，用锄头挖一小坑，撒上玉米粉，然后才把鸡蛋丢下去；有的只在初步选定的地方烧一把纸钱，然后直接把鸡蛋丢下去。令人惊奇的是，有时竟连续丢几次而蛋未破，只好重新到别处山坡土岭，用上法再选葬穴。

在布努瑶地区，这种选葬穴的办法，确实很有神秘色彩。

仫佬族“走坡”

邵志中

仫佬族聚居广西罗城，少数在忻城、宜山、柳城、都安、环江、河池等县。仫佬族能歌善舞，“走坡”是一种社交和娱乐的形式，是恋爱和婚姻的媒介。每逢春、秋节日或秋后农闲之际，青年男女借此相聚，对唱山歌，凭歌相识，以歌传情，依歌择偶。届时，盛装的男女青年汇集山坡、垌场，引吭而唱。

男女初遇，先唱《拦路歌》：“见妹走坡去游游，唱首山歌拦路头；千兵万马让他过，单独拦妹唱风流。”

接着唱《相逢歌》：“有缘有缘真有缘，有缘逢着妹娇莲；今日有缘逢着妹，有缘得妹结同年。”

山歌唱到情投意合，便双双对对找一块草坪，或到坡地上、山脚下，避开众人，唱起《想双歌》：“日里想双难到夜，夜里想双难到光；十二时辰都想了，冇(mǎo 没)有一时打忘双。”

山歌唱到情深处，便唱《问定物歌》：“七八月间百草黄，九冬十月火烧光，大胆拿妹东西去，后回转来慢还双。”歌声倾注了爱恋之情，双方互索小镜子、手帕等爱情信物。然后唱歌来约

定下次见面时间、地点。

第二次见面,互道衷情,唱《单身歌》:“单身忧,好比江边百草头,春天害怕水来泡,冬天又怕火烧蔸。”尔后唱《苦情歌》、《怄气多歌》,以挑起深沉的愁绪。

至此,又唱《望双照顾歌》:“岭上种田就望天,苦瓜煮菜望油盐。鸭仔无娘望白米,弟是单身望同年。”又唱《有缘我俩同家住歌》。

分离之际,他们用歌声表达难分难舍的情思,唱《分离歌》:“离了情,路在前面不想行,日头落了有月亮,我愿陪双到天明。”

依依不舍的恋人又唱起《送双歌》、《十别歌》、《难舍歌》,珍祝再会。

许许多多的仫佬族青年,就在“走坡”的歌声中,获致了美满的姻缘。

仫佬族人的“地炉”

滕肇文

广西罗城县有仫佬族同胞聚居,他们有一种特殊的“节柴灶”,名叫“地炉”。明嘉靖年间来广西任布政司右参议的田汝成在其所著的《炎徼纪闻》中,就有了关于仫佬族人“挖地为炉”的记载。可见此俗历史久远。

地炉制法很简单,首先选择在堂屋内的左

边或右边挖成炉坑，再用砖来砌好炉底，架上炉桥，然后砌炉膛。炉膛的大小和深浅，可根据各人需要而异，一般以九寸到二尺为宜。炉口也可大可小，一般以四寸到六寸便可。又在炉边的下方，埋装一个小坛，以便储水备用。水坛口和炉口与地面齐平。另外还要在炉底前方砌上一个煤灰坑，以便处理灰渣。煤灰坑上置一活动木板盖，地炉出灰后，免使煤灰飞扬。最后是用泥土夯平炉的周围，地面还要打上一层三合土，平整美观。

地炉日夜有火，四季常温。随时都可烹饪。夜晚睡觉前，还可以摆上一个大锅头，在锅里放好水和猪菜，次晨起床时，那锅猪潲就煮好了，不用添煤加火。地炉的余热还可以把旁边水坛的水烤热，一年四季都有热水使用。炉火还能通过地面的传热而增加室内的温度，四季皆宜：春天能保持室内干燥，放物品不担心发霉；夏天雨水多，“双抢”收回的湿谷，遇雨天可以放在堂屋中或竹楼上一烘就干；秋天可以烘萝卜干或烤红薯；冬天关起门来，便成了温室。

卡　头

阳　映

卡头，是广西龙胜各族自治县苗族地区的

一种特殊交际方式，苗语意为拦路对白。

卡头的规矩相沿成俗：对卡的双方都必须用苗语韵白(即用整齐押韵的苗语语句对白)；路遇时任何一方都可以向对方发卡，即使首先发卡者为女方，也不被视为举止轻佻；回卡圆满，被卡者方可通过；拒绝回卡则被看作不知礼；倘若被卡者因故无暇应对，也必须用苗语韵白向对方表白，但不能直接解释，更不能生气。

苗族青年男女喜爱卡头，节日或街圩，于道旁，于桥边，卡头者比比皆是。

卡头时，双方一般都互卡几个回合。但是，倘若对卡者恰好棋逢敌手而又意犹未尽，就会使出浑身解数一轮接一轮鏖战下去。此时双方唇枪舌剑，妙语连珠，令旁观者击节叫绝。

卡头是随意性的即兴活动，没有固定的时间和地点，也不拘囿卡手双方是否婚配，相遇时，只要有兴致，就可对卡。已婚的卡手，卡头后便曲终人散，各自东西。未婚的青年男女对卡，情况则不然，如果女方对男方有意，便会主动邀请男方到其家中作客。一路上，女方为继续试探男方的人品和才能，总是寻找机会出招卡男方。这时，男方就得处处小心提防，反应要机敏迅捷，回卡要恰到好处，否则，即使迈进了女家大门，也只能自动打道回府。只有当男卡手接过女方打来的油茶之后，才表明他得到了主家的认可。

隆林苗族巡夜丧俗

李树荣　杨春贵

苗家成年人，不论何故死亡，都要在家里停尸三至五天，举行喊亲、死浴、开路、巡夜、道场、赛纸马等一系列的丧礼活动。在这些活动中，最为隆重的是巡夜，若身临其境，则犹如置身于一场古代战争的氛围之中。

巡夜规定在"开路"的头一晚至第二天凌晨举行，巡游队伍由死者的儿子(无儿子的则由有权继承遗产的兄弟的儿子)身佩弓箭，手握大刀担任领头，领头身后是一名牛角号手，一大帮亲友肩扛长矛威风凛凛地尾随其后。从一更到五更，按更时环绕房屋打圈圈，领头祭者系第三代子孙的，当夜要在一、三、五更各巡游一次，每次来回绕房屋三三九圈；若系五代子孙的，则要在一至五更各巡游一次，每次绕房屋五五二十五圈。每当巡夜队伍游到大门口的时候，屋里就猛擂牛皮大鼓一阵，响声震天，屋外跟着劲吹牛角号，号声悠扬，"都都"声和"冬冬"声遥相呼应，扛长矛的亦同时呐喊"呜呼——"(即"冲啊——")！

毛难族的分龙节

陈左眉

毛难族主要分布在广西北部的环江、河池、南丹、宜山等县,人口约三万八千人。

毛难族人认为每年夏至后的第一个辰日(属龙)前后雨量明显不同,于是定这一天为水龙分开之日。水龙分开之前的雨水量比较充足;分开后就很不正常,有时还会出现严重旱情。为了祈祷农田不受水龙分开的影响,以保证丰收,他们在每年农历五月,要举行为期三天的保禾祭神活动,这便是毛难族特有的"分龙节"。由于毛难族分布地区的地势高低不同,在历史上就有上南、中南、下南三段之分。上南、中南两段地势较高,称之上团;下南段地势较平,称之下团。过"分龙节",上团往往比下团要早五天,这是因为取亥日祭神之故。

"分龙节"又分庙祭和家祭。庙祭为期两天,规模很大,一般在分龙日之前,由各村垌场长老主持,分别由各家各户凑钱,以便节日这天在三界庙堂里进行椎牛祭祀活动,祭的是一位地方神冯三界。传说冯三界是吃了仙桃的半仙,神通广大。"分龙节"又称庙节,庙祭时,由"鬼师"身穿法衣,脸戴木面具,手敲腰鼓跳傩舞,所有的村民都参加，就是出嫁了的女儿在这天也要带着儿女们回来参加拜祭活动。家祭主要在分龙日这天进行。人们全部团聚在家里，还从田里取回来少许禾苗，供奉禾苗神和家神，以祈祷保护禾苗丰收。家家户户都宰鸡杀鸭，蒸五色糯米饭，做粉蒸肉，不少人家用五色糯米饭捏成一小团一小团，分别插在竹枝或柳枝上，五彩缤纷，象征着果实累累，以供奉祖先。人们还用青叶包上一团糯米饭和粉蒸肉喂牛，感谢它一年来的辛苦。

牛　节

萧　宛　关娜妍

广西壮族、侗族、仫佬族人非常爱牛，视牛如宝，视牛如神，都有为牛过节的习俗。

东兰壮族四月八日是牛的“脱轭节”。清早便给牛取掉鼻绳，摘去牛轭，熬一大锅糯米粥喂牛，为牛洗刷、梳理，然后举行“舞春牛”活动，人们牵着牛游村，各家各户放鞭炮送迎，喜气洋洋。这天，村民还给亡牛过“牛魂节”，把亡牛的角挂在屋子中央或最显眼的地方，上面贴着写有吉祥话语的红纸，或缠上红布条，由主人对着牛角祭祀牛魂。

靖西壮族也有“牛魂节”，却不是祭奠亡牛。

《归顺直隶州志》载："每年至五月二十日内耕耘已毕，选取吉日共作牛魂节。"可见牛魂节由来已久。民国时，《靖西县志》载："农夫之耕终事，耕之艰难，牛任其劳，……因令各峒作牛魂节，今尚仍旧。"每年五、六月间，合屯商议，选出吉日作牛魂节。这日清晨，家家户户将牛栏清扫，贴上大红的壮牛剪纸。姑娘们牵牛到河边，给牛洗刷、梳篦、除牛虱，用艾叶菖蒲汤加少许米酒洒洗牛身，以压惊定魂。村人还把备好的糯米甜酒、黄豆粥、鸡蛋汤，用竹筒喂牛，再以大米、小麦、荞麦、玉米、大豆合制的香糍粑喂牛，取"五谷丰登"的吉祥之兆，然后再喂嫩草，让牛全天休息，好好过节。据州志载："家有三口，必杀三鸡，家有五口，必杀五鸡。"至今仍有杀鸡宰鸭、家家庆贺的习俗。

侗族在四月八日过"牛王节"。修理牛舍，用糯米糍粑、甜酒在牛栏边祭牛王神，煮糯米饭给牛吃，举行"舞春牛"的庆祝活动，在鼓楼前草坪上表演节目。

仫佬族四月八日过"牛生日节"。家家户户宰鸡杀鸭，备上丰盛的酒肉，由家中长者置于牛栏四周，敬祭牛栏神，祈祷神保佑牛不生瘟病，长得壮壮实实。然后蒸黑糯米饭祭祖。祭毕，又由长者取来一大团糯米饭拌着大块肉喂给牛吃。这天，没有养牛的人家，也能够分得一份丰盛的食物，这是来年风调雨顺、吉祥如意的好兆头。

侗族琵琶歌

周东培

琵琶歌,侗语称"嘎琵琶",是侗歌中艺术水平较高的一种。用琵琶伴奏,以男歌手自弹自唱为主,也有男弹女唱,男女多人弹多人唱的。

侗族琵琶有四根弦,外形近似汉族三弦。琵琶分大小两种:大琵琶声音低沉柔和,长于伴奏宣叙性唱词,多为歌师在鼓楼当众演唱叙事长歌用;小琵琶音韵铿锵,长于伴奏咏叹性唱词,多为后生行歌坐夜时对姑娘唱抒情短歌用。

琵琶歌曲调流畅,一般用自然嗓唱,唱腔吻合语言。各方言区有不同的曲调。

琵琶歌可分为抒情、叙事两大类。抒情歌有长有短，短歌多即兴创作；长歌往往只有个简单情节，却大段大段地抒情。叙事长歌又有两种体裁：一种只唱不说，篇幅相对短些，侗语渭之“嘎常”；一种有说有唱，近似苏州评弹，发挥“说、表、弹、唱”四大艺术技巧，篇幅较长，有连唱几晚的巨篇，侗语谓之“嘎锦”。

琵琶歌词兼押外、中、内三种韵。外韵，即双句末句押脚韵；中韵即腰韵，即上句末字与下句首字或一二小节末字相押；内韵即锁韵，句内韵，指句内前小节字与后小节首字相押连锁。这是侗族琵琶歌特有的韵律，唱起来抑扬顿挫，娓娓动听，引人入胜。

侗族传统琵琶歌内容丰富，多姿多彩，叙事长歌中的《娘梅歌》、《莽子》、《毛红玉英》等，抒情长歌中的十大“银情”歌，《银情枉》(唱给被拆散的情人)、《银情内》(唱给病中的情人)等，尤为群众所喜爱，相传至今。

芦笙长鼓舞

谢成章　奉恒升

芦笙长鼓舞是广西富川瑶族人民有代表性的传统舞蹈艺术，是瑶族民众祭祀祖先盘王的舞蹈。富川塘源村瑶族民众保存的瑶族文牒《祖公榜文钉书抄白》(582 年)记载:“昔日龙犬(盘王盘瓠)入山捕猎,被石羊抽死,跌落石崖梓木上。儿孙逐日寻找,克尸首将七贤洞南方葬。儿孙伏手把臂,呵呵唱跳,作祭三天三夜,惊天动地,便是平王子孙宗祖。”从文中可看到瑶族芦笙长鼓舞的始踪,可见此舞蹈产生至今已有一千四百多年的历史。

芦笙长鼓舞自远古流传有七十二套,富川瑶族民众至今保留有十多套,经常唱跳的有九套。第一套,头拜鼓,是序幕,在盘王起殿出游前唱跳,以示对盘王厚礼、崇敬;第二套,美女双双,表现瑶民喜庆丰收的热烈场面;第三套,坐堂曲,表现瑶民缅怀祖先、向往幸福生活的情景,是主旋律场面;第四套竹鸡爬泥及第六套五足尖,表现瑶民狩猎生活及瑶民勤劳勇敢的优秀品质;第五套,左边七,表现瑶民对图腾物的崇拜与敬仰,祈福求吉;第七套,三人舞,表现瑶民歌舞升平,对盘王感恩戴德的心情;第八套,堂堂上,颂扬盘王的功德;第九套,东北鼓,表现瑶民为盘王伸冤,祈祷盘王轮回转世。芦笙有 12356i 六音。六管六音吹奏和声,和谐悠扬动听。

建国前,富川瑶族民众每年十月十六日盘王节及村寨庙会时,都兴跳芦笙长鼓舞,起舞时,先向盘王跪拜后,一般是围着圆圈,按曲调程序跳。场面隆重,要将特制的长二点二米的大长鼓置于长桌及木架上,或由两人提拿手中。舞

蹈人数不拘，少则七八人、十八九人，多则达数十人。跳舞者边舞边奏击乐器，边唱边呼号子，或吹奏芦笙，或拍小鼓，或敲打铜钹及云锣，或吹奏长短箫及唢呐，呈现出古朴、典雅、豪放的气氛。

建国后，这一瑶族文化遗产，得到了发掘整理和继承。1957 年春，广西挑选此舞蹈赴北京参加全国少数民族传统文艺会演，荣获优秀奖。全体演员和代表，受到了朱德委员长、周恩来总理等中央领导同志的接见。党的十一届三中全会后，芦笙长鼓舞的精彩场面被摄录于《桂东风情》；1990 年，富川人民在欢度盘王节时，台湾《八千里路云和月》电视片摄制组闻讯赶到富川，留下了此舞的珍贵镜头。1991 年第四届全国少数民族传统体育运动会在南宁举行，这一舞蹈荣获表演节目三等奖。

彝族跳弓节

慕菁

跳弓节是彝族纪念祖先的庆典。“弓”是彝语“孔够”的音译(“孔”为欢庆之意，“够”为祝福之意)。传说彝族的领袖孟花率领彝民，持弓箭，提大刀，与入侵之敌英勇搏战，驱走了敌人，保卫了家园。彝民迎接孟花凯旋，载歌载舞，热烈庆贺，这便是跳弓节的来源。由于当初各地战士凯旋日子不同，广西彝族跳弓节有四月初三、初四的，也有四月十一日、十二日的。

节前一天，彝寨“巴芒”、“妈芒”(彝语老公公、老婆婆)持美酒佳肴到村头的山坳、山头搭棚聚餐，谓之“扫山”，有迎接亲人凯旋之意。举行庆典的舞坪，事先摆设酒、山茶、金刺莓、染色的糯米饭、虾米、肉丝等丰盛的食品。

庆典在节日之中午鸣粉枪（或燃放鞭炮)开始，此时“麻公威”(彝语将领、头人)骑着骏马，持弓提刀，率领五名(或七名、九名)卫士绕场九圈。铜鼓齐鸣，寨中男女老幼分列两横队，手拉手步入舞场，慢舞九圈，渐渐由慢而快，再快舞九圈。其间，两位“包怕”(吹笙者)带领一群“塞米”(彝语姑娘)加入舞蹈人群，满场边舞边唱，欢庆逐渐推向高潮。

除铜鼓舞外，还有“围猎舞”、“跳闸门”、“跨断墙”等，内容十分丰富。一人扛着插满树枝的竹笼扮演野兽，蹲在长竿架成的“山洞”里，鼓声骤起，野兽出“洞”，众舞者持棍追逐，猎得野兽，谓之“围猎舞”；两位吹笙者弓箭步立于舞坪中央，其他男舞者跨越其肩，女舞者跨越其腿，谓之“跨断墙”；几对中年男舞者持木棒，有节奏地交叉、打开，当两棒交叉时，舞蹈者迅速跳过，谓之“跳闸门”。这些舞蹈都反映彝族先民劳动、战争的情景和崇尚武功的精神。

跳弓节历时两天，寨民尽欢而散。

排歌歌会

李树荣

隆林各族自治县沿红水河一带的壮族地区，不论红事白事，凡有条件的家族，除请"八音"贺喜悼哀外，还举行对歌活动。对歌所唱的山歌，都是定型了的排歌，实质上是排歌歌会。

壮族排歌，历史悠久。对唱的时候，分男女宾主，人数对等，每边三人五人不定，没有领合之分，自始至终均为齐唱，每句歌的起音都不约而同，犹如出自一人之口，非常整齐，一句接一句，一排连一排，在无人提词的情况下，不漏一句，不重一节。在长达十几个小时甚至更长时间的对唱中，上万句歌词，人人都能背熟，而这些歌手文化水平都比较低，有的还是文盲，全靠脑子记忆，看来非一日之功。如此一唱一和、一对一答，常常是通宵达旦亦难分难解。每当举行排歌歌会时，附近村屯的男女老少都前往观赏，挤得水泄不通。排歌内容与红白喜事并无内在联系，只是用以表示为红事贺喜、为白事悼哀。

壮家的歌棚

蓝正祥

广西巴马和大化县壮家勒俏(姑娘)和勒貌(小伙子)每逢歌节,便在山青水秀的田垌中搭盖歌棚。歌棚上覆盖着五颜六色的布条。远望去,好像天上一朵朵五彩云霞落到了人间。歌棚既是勒俏和勒貌对歌、相意中人的地方,更是比歌艺、比手艺、显示勤劳、灵巧和富裕的场所。

壮家人非常勤劳,女孩子长到十一二岁,就跟着母亲、姐姐或嫂嫂上山选地垦荒,种植棉花和蓝靛。从下种到收获,以至捡棉籽、纺纱、织布、染布、捶布、晒布、剪裁、纳鞋,都得亲自劳动。未出嫁的勒俏们,人人都储存有各种颜色艳丽的布疋。每到一年一度的三月三歌节,就争相拿出最好的布疋来搭盖歌棚,有的拿出三五疋,有的拿出十多疋,拿出越多越光彩荣耀。哪个村屯的歌棚搭得宽敞,盖的布疋花色品种多,就表示这个村屯的勒俏们勤劳而富有,心灵手巧,聪明伶俐,令人喜爱,羡慕不已。对歌时,哪个歌棚歌手多,对歌精彩,听众人多而情绪高涨,全村人都感到光荣与自豪。

用壮字刻在墓门上的壮歌

韦甘睦

清道光十一年(1831),宜山古育村有坟茔一座,为料石所砌,墓碑及墓门完好。外观无奇异之处。惟左扇墓门阴阳两面及右扇墓门的阴面镌刻有“方块壮字”(用汉字或汉字的偏旁部首和仿照汉字字形而制造、用来表达壮语意义的文字)的“壮欢”(壮族山歌),“自叹白文”四字刻于左扇墓门阳面上额,实属罕见。

从“壮欢”内容得知:墓主廖士宽,幼年丧父,二十岁至古育村垦荒务农,衣食渐丰。惜无儿女,曾接养二子。子长成婚,生儿育女,均另出成家,弃廖不事赡养。廖茕独一身,晚年孤苦,恐身后无人殓葬,乃于生前造冢立碑并自作“壮欢”痛述身世,请人刻于墓门。“壮欢”为五言勒脚体,共十五首,一百二十行。歌词婉转凄恻,如泣如诉,读之使人潸然泪下,今录其二节:

都是龙一般宝贵的骨肉所生;怎么想也难解开我愁肠之结。兄弟三人都是一母所养,为何我就如此苦楚凄凉?

心中百思不得其解,每闻鸟语我就眼泪滴滴。日夜独自暗中叹息,命贱不愿在人前说起。

此墓志铭乃宜山县志办韩俊翔所发现，“壮欢”歌词系莫瑞扬所译。

铜鼓之乡——东兰

覃剑萍

宋代东兰称羁縻兰州，属韦氏土司统治。据古壮歌记载，土司打仗有功，领得重奖买铜鼓，红水河畔始有“铜音”。明、清两代为东兰铜鼓鼎盛时期，以兄弟或宗族、姓氏、村屯积资购置，几乎村村有铜鼓。

东兰壮族铜鼓多是麻江型，主要分布在红水河两岸乡村，沿河十一个乡镇有四百五十三面。逢年过节，红白喜事，乃至天旱求雨，壮家都要敲打铜鼓。每年秋收之后，村村铜鼓响，欢庆粮棉好收成。不少村寨把铜鼓抬上高山对打比赛，持续几昼夜，以一方出现“哑鼓”(铜鼓敲打过久发热变哑)方休。“蛙婆节”(青蛙节)是红水河两岸百里壮乡最盛大的节日之一，从大年初一至正月末，铜鼓之声自始至终，不绝于耳。

铜鼓与壮乡人民的生产、生活息息相关，是壮家人不可缺少的精神食粮。壮族人民在长期的生活中创造了灿烂的铜鼓文化。

近年来，中、日学者到东兰考察壮族铜鼓文化，东兰被赞誉为“铜鼓之乡”。在第四届全国少

数民族传统体育运动会开幕式上，东兰壮族小伙子表演的《金鼓齐鸣》，百面铜鼓，震天动地，气势磅礴，蔚为壮观。

水中比武祷丰年

邓庆荣

土司时代，靖西县提倡水中比武，以调练民丁，且祷祝丰年。许多有条件的村寨，纷纷响应，其能坚持不衰者，惟频峒(岳圩)乡弄怀村。村里百余人口，每逢三月三日必举行。是日全村男女老少，空屋而出，环聚村前大塘岸上，围观助兴。远近群众亦慕名前来，一睹盛况。中午，青壮年云集塘边，相向列队，各各手舞足蹈，纷纷跃入水中，挥波击浪，威武相逼。近前则击水相溅，旋乃动手互搏，各不相让。幸水未过顶，尽可举手投足，任意发挥。或被按入水中，或则口鼻流血，或则身伤脸肿。岸上观众，或因愤愤不平，或因技痒难耐，乃奋袂入塘，参与搏斗。初只一二人下水助阵，继则多数人奋力参战。先是各个互搏，后乃成队相斗。激水扬波，浪花四溅。岸上人，时而惊呼，时而欢笑，然只徒手较量，不许持械逞凶。其比武也，旨在娱神而祈丰年，亦练民而壮士气，鲜有裁判记分，绝无奖优罚劣。纯属自发性质，故乃乘兴而来，力惫而罢。中天进行，

日暮而散,身受伤而不悔,衣被污而不惜。各无记仇报复,仍相遇而发噱,允称文明之举。据说不如是,则不达丰年云。

客人着洋装　县长受冤枉

梁志强

李(宗仁)、白(崇禧)、黄(旭初)第二次在广西掌权后,决心励精图治,大力推行新政,力图将广西建成可与蒋介石分庭抗礼的独立王国,进而再次问鼎中原。他们推行新政的内容之一是,自1932年始,公务人员一律着统一的灰色粗布制服;如违,则视情节轻重,分别予以训斥或惩处。特别是广西被中外人士誉为"模范省"之后,当局对此要求更为严格。

1934年2月6日,柳州县政府接到省政府发来的"歌电",内称:"据报(柳州)县府及县公安局职员多着洋服及华贵服装，并不遵照规定穿着制服……饬速检查，严加约束，如再违抗，即以惩处。”

县长李荫宏接电后不敢怠慢，亲自进行调查。结果查明，县府及县公安局全体职员办公时，并无一人着洋服或华贵服装。造成此误报，纯粹是由于告发人“乱点鸳鸯”，将1月12日抵柳考察的贵州省教育实业考察团一行二十一人，以及陪同该团的柳州县教育科督学莫家彦等五人混为一谈，把部分客人当成了主人所致。李荫宏随即于第三天复函省政府，对此事进行说明。

半月后，广西省政府以“该县长非但不自责，反而诸多辩解”为由，给李荫宏以申诫一次的处分。

省主席惩治“亚庐”赌徒

苏乐民

桂林东江施家园的“亚庐”公馆，高墙大院，甚是敞雅。主人邓亚雄，与桂林市长兼警察局长陈恩元是同乡加表亲。日军犯桂，空袭频仍，七星岩一带乃避难区之一，但一些中高级军政人员却趁机麇集“亚庐”昼夜聚赌。“亚庐”设赌，参赌人数多，赌具一应俱全，赌注大，而邓则坐地抽头，每次所得都在千元以上。当时我任东江警察分局局长，曾多次请示陈恩元并获准派员警捉赌，但屡屡扑空。

1941年1月14日，省主席黄旭初召我至办公室，命我捣毁“亚庐”赌窟并亲书手令：

兹派苏乐民捉拿亚庐赌案，任何人不得抗拒。此令。

旭初（签名）

黄还说：“事先不必告诉陈市长，也不要让警察总局知道。”

翌日十一时许，在“亚庐”对面簸箕岩石竹林坐守的眼线报告说，已有二十八人进入“亚庐”，我立即集合员警三十余人（其中便衣十余人），绕道东旭路至花桥，再右转弯沿小溪至簸箕岩口。两便衣逾墙而入，打开“亚庐”大门，我率员警直闯大厅，赌徒们避匿不及被擒。三十二名赌徒中，除赌头邓亚雄外，有省府顾问龙积之，省党部委员黄钧达，十二军驻桂林办事处少将处长吴某，现职团长刘瑞，省立桂林中学校长蒋培英等，其余则是桂林各盐庄和经纪行的老板。

我将赌徒带回分局后，向黄作了汇报，黄指示说：“我派潘秘书马上去给赌徒照相，要把他们一个一个地照下来。”一会儿，潘果然来分局为赌徒们逐个拍了照。

16日下午，潘秘书背着照相机又来分局对众赌徒说：“昨天照的相，你们身着大衣，以衣领掩面，主席看不清楚，指示要重照。”“赌徒个人照"拍完后，潘又按照黄的吩咐，叫赌徒们排好队，将缴获的赌具和赌款摆在赌徒跟前，拍了一张"赌徒集体照"。那情形着实令人忍俊不禁！

17日，黄主席电话指示我说："各赌徒罚款若干，我派人送名单给你照办。"下午，潘秘书送来的名单上除写明对各赌徒罚款的数目外，还有勒令储蓄的金额。赌头邓亚雄罚款五百元，勒令储蓄八千元，其余各人视职位高低多少不等，无一能免。

21日，黄来电话指示说："邓亚雄解送法院，其余赌徒取保释放。"

对"亚庐"赌案，黄并不按照当时的《违警罚法》和《广西禁赌单行条例》处理，而是既科罚之，又勒令储蓄，确实别出心裁；对参赌的军政人员一律撤职，又足见惩罚之严厉。当时桂林各报对此均有登载，读者为之咋舌，广西盛赌之风亦因此有所收敛。

处决王公度前后

罗明昆

王公度，广西永福县人，留俄学生，曾任广西省政府委员，第四集团军总司令部总政治训练处少将处长等职；后成为蒋桂矛盾和新桂系内派系斗争的牺牲品。处决王公度那天，笔者作为宪兵一连代理连值星官兼卫兵司令，目击此事，现将鲜为人知的情况简记于后。

1937年8月中旬王由宁返桂时在秧塘机场被捕，关押在依仁路旧藩台衙门宪兵团部，由宪兵一连看守。当时对王的监管极严，探访、传递物品和书信等，一律被禁绝。

9月13日上午，笔者奉连长秦禹之命向公安局借回了七九步枪一支、子弹二十发(宪兵一连只配备驳壳枪)。当时，只见总司令(李宗仁)的侍从副官刘荣才、林树标以及宪兵团长邓光伦等在团部进出匆匆，似有重大行动，但又不便多问。晚点呼(点名)时，秦又命我预派精干武装士兵十一人于晚十点在中门通道集中待命。晚十一时许，总司令部交通处开来了一辆两吨半带篷有坐位的汽车，旋见刘荣才带着两名厨子，捧着三碟菜(炸花生、叉烧和烧肉)和一大口盅酒，送进了连部。片刻，邓光伦把秦禹和莫桂庭、陈森两连副以及笔者召集到连部。邓严肃宣布："今晚奉命处决王公度，由陈、莫二位率士兵押解执行。行动要迅速、机密，不得声张；乘汽车前往，要加强警戒，特别注意安全。"邓布置完毕，秦即命我去开王公度牢房的门锁。一出连部门口，只见牢房通道及各要口已布满荷枪实弹的岗哨，警戒异常森严。

牢门打开后，厨子将酒菜放在桌上随即退出。莫、陈带领梁班长和二名武装宪兵鱼贯而入。此时，王公度仍在酣睡中。陈撩开蚊帐将王

推醒。王睡眼惺忪，只穿着文化衫和睡裤。王看见桌上的酒菜和荷枪实弹的宪兵，觉得不妙，随即戴上眼镜问道："什么事?"陈答道："奉总司令命令，送你去南宁。"王似有所警觉，即喊道："我要去见总司令！"边喊边冲向牢门。陈是高个子，一把将王抓住并卡住其脖子，莫取出捕绳，来了个"比翼绳"，将王捆个结实。王脸色苍白，不再喊叫，也不怒骂，只是颤抖着说："好！即使死，我也要吃饱喝醉才死!"莫将口盅送到王唇边，一边挟菜给他下酒。王将酒喝得一干二净，菜却没有吃完。

深夜十二时许，陈、莫率宪兵将王押出团部，汽车立即向南门方向驶去。凌晨一时三十五分，我未敢就寝。待汽车回到宪兵团，陈、莫对我说："王公度被押解到南溪山刘仙岩前高地枪决了。"

翌日，王的死亡通知书送到了义仓街(今临桂路)其妻手中。宪兵刘某惟恐王的家属纠缠要其带去收尸，所以放下通知就一溜烟地跑了。

常神父教堂毙贼

黄童生

常有为，神父，晋籍。少聪颖，十岁入太原神学院修道，因学业超群而连越两级。1929 年毕业时年方二十，已通晓英、法及拉丁语。因教廷有年满二十五岁始能当神父之规定。故先往榆次修道院教授拉丁文。

太原失守前夕，常在太原县洞儿沟天主教堂当神父。洞儿沟有教堂两座，山上山下各一。其时，兵、匪乘乱常窜入教堂骚扰，为安全计，意大利主教富济才及另四名意国神父均避匿于山上，众修女和数百难民则拥挤于山下教堂。由于教堂屡遭掠劫，是故众人惶惶。

某夜，常神父当值，有携枪散兵三人强入教堂。一人以枪抵神父于门口，索要衣冠皮履；另二人直奔教堂内，对难民尽行搜劫。一时间，妇泣幼啼之声盈耳。神父怒不可遏，乃奋起夺枪将面前之贼击毙。另二贼闻枪响，由里间匆匆而出，与神父迎面相撞，神父再发二枪，二贼立毙。众人见状，皆额手称庆。此后，散兵、歹徒不敢再来骚扰，教堂始得暂时安宁。

常神父现供神职于南宁天主教堂，虽已八十有三，依旧超逸优容，虔诚向教，深受教民景仰。

长辫子的洋教士

梁碧兰

光绪二十四年(1898)的一天，桂林街上，一洋人身穿长袍马褂，头戴瓜皮小帽，脚着平底布鞋，手持白扇，后脑勺居然还挂着一条长长的假辫，有人举起拳头吆喝喊“打”，洋教士见势不妙，挤出人围，赶紧往县衙门跑。原来此人系美国基督教宣道会牧师孔道宏，自 1885 年美国浸信会牧师纪好弼被驱逐出境以来，桂林已多年不见洋教士踪影，梧州辟为商埠后，孔道宏便沿抚河悄悄潜入桂林。

洋教士要求知县出示保护，知县生怕惹出祸端，只得张贴告示，严禁驱逐殴打传教士。为了万全起见，知县还派了一名差役送他回去。此后一段时间，常有个拿着竹板的衙役，跟随在孔道宏后面走，孔教士俨然像个官儿。

孔十分得意，常以小恩小惠施于人，加上那身装束慢慢缓解了市民的敌意。他初到之时不能上岸租屋，白天在街头施医赠药，夜晚回船住宿。过了数月便在南门租得一栋房屋作礼拜堂用，信徒渐渐增多，南门礼拜堂扩大了两次，还建起幼儿园、高初两级小学，桂林附近村镇也建有教堂，成立区会。

孔道宏站稳脚跟后，礼拜堂公然以“大美国宣道会”标榜，克扣工人工资，以东毫换纸币，从中牟利。在其创办的教会学校里，大肆散布恐美崇美亲美的思想。

1924 年夏秋之间，驻跸桂林城内的陆荣廷被沈鸿英之师围困，孔道宏正在督工修建一所礼拜堂，突然被流弹射中脑袋，当场死去。

古棺岩

覃剑萍

位于东兰县坡豪乡苏仙山红水河边的苏仙岩,距水面五十余丈,岩口上下左右皆为绝壁断崖,猿猴也难攀登。岩内曾藏有大小不一、长短不等的棺材二百多副,最长的约2.2米、宽约70厘米,小者长约80厘米、宽40厘米,其颜色多为米黄、红黄,也有白黄、浅红、紫黑色等,棺木有古柏、天丛木、金丝李、金钢木等。棺材堆积如山,也有的搁在石壁上,还有两副平置岩口。棺内尸骨为白色、粉红色和浅黄色,有的还有人的长发和粗制白布。清人刘锡藩在《岭表纪蛮》中记述苏仙岩时写道:"皆古尸古棺貌,杳不知其谜……"

1946年我来县城读书,往返经过苏仙山下红水河渡口,老船工每次都要先讲苏仙岩古棺来历,而后才开船。他说:古代红水河畔是仙境,壮家歌舞度日。后有一群"风人"飞来,占领壮家江山,双方剑拔弩张。苏仙山上的仙翁布洛陀来调解,叫双方"问山考河",以示输赢。"风人"喊山,叫得声嘶嗓破,山没有回声。壮人本来居住山洞,开口一叫,山山有回声。"风人"输了,很不服气。于是,横渡红水河,以能到达彼岸为胜。

"风人"以芭蕉叶为舟,人坐其上,叶破舟沉。壮人扎竹为排,轻舟划桨,横渡水去。"风人"输了,便飞往天边,不再回来。他们见壮乡山水好,一有人死,就装入棺材,雨夜托风飞运,送到苏仙岩来。

过去,古棺岩神秘莫测,但也有冒险的木匠,搭梯架桥,登上岩洞,把最好的柏木棺偷放下崖,带回家去做水缸木桶。建国后,人入岩内观光,仍不解其谜。"文革"期间,山前对岸苏托村砖瓦厂人涌入岩内,将古棺抛下悬崖,运去烧砖瓦,古棺被扫出洞,现仅存一些散落的棺板和尸骨,损失惨重。红水河旅游开发区李工程师前几年来看此岩,大为惊奇,他说:"苏仙岩葬为世界罕见,若能保存至今,可是红水河旅游区一大宝岩。"

多年来,许多考古家来到苏仙岩考察,发现岩内有砂石,认为古代红水河水位高至岩口,古棺是船装水运来的,这显然是壮族先民的特殊葬俗。从粗制的白布看,壮族纺织业有着悠久的历史。但对岩葬的年代,则难于断论。

桂林献金大游行

蓝　天

1944年夏，文艺界在桂林成功地举办了一次规模空前的西南剧展之后，又举行了一次“国旗献金大游行”。

当时，日寇向湘桂大举进犯，衡阳会战方殷，抗日战士浴血奋战，敌人屡攻屡蹶，形势十分紧张。为了支援前线，鼓舞士气，增强斗志，由李济深、柳亚子和桂林开明士绅八十岁老人龙积之等出面号召，田汉调动西南剧展工作人员投入工作。所有在桂林的文化界人士都参加游行，阵容浩大，气氛热烈。

游行用的国旗有当时的中山路那么宽，由数十名男女演员、作家、诗人、戏剧工作者沿四周平抬着，乐队前导，随后是一部光头的宣传车，上面坐着李、柳、龙三老。陈迩冬在汽车上用扩音器以桂林话对群众广播。再后是浩荡的游行队伍举着彩旗，呼喊口号，徐步前进。他们发表演说，动员捐献，市民万人夹道观看，许多商店、群众慷慨解囊，纷纷掏钱扔到平抬着的国旗上。沿途有许多感人的场面：有乞丐将一天乞讨得来的钱如数捐出；中小学生把积攒好的零用钱、早餐费全部献上；一位推小车卖广东酸嘢的小贩小李，义卖三天献金；漓江船上的妓女也脱出金戒指、金耳环奉献等等。我亲眼看见几位当时所谓的吉普女郎竞相脱下手上的戒指、手镯、手表投向国旗。一帮美国空军(飞虎队)则在一旁鼓掌呐喊，赞扬助威，并纷纷掏出皮夹里的钱捐献。

国旗进不去的小街小巷、酒楼饭馆、戏院茶楼，则有无数青年学生手捧纸盒，插满大头针作旗杆的小国旗，谁捐献便为他别上一面，收获也很可观，整个桂林城气氛浓烈。据当时在场工作的陈迩冬说："这些钱能有多少送到衡阳抗日士兵手中，那就不知道了。因为这事不由我们直接办理，须通过地方官吏……"不久，衡阳沦陷，地方官吏对这笔账始终未有公布。人们曾有流言："贪污！"当时朱荫龙(字琴可，桂省府参议、诗人，桂林籍，朱明皇朝的后裔)有两句诗："尚解兴亡江上妓，最无廉耻地方官。"

不久，桂林城亦沦陷了。

南宁"群英社"

南宁的"群英国术研究社"始建于 1933 年，创建人是陆桂高武师。

三十年代初，日寇侵华，社会日趋动荡。为

御敌防身，陆把南宁水街一带青壮年组织起来练武。后要求习武的人日渐增多，陆便在“紫竹林”尼姑庵租得空地一块，挂牌办起“群英国术研究社”，公开收徒。

“群英社”每期招收二三十人，学员多来自本市，少数来自外地。他们白天做工，夜间练武。每期约四十天，以掌握一套功夫为限，收费六百个铜仙。1935 年南宁的国术比赛和次年的广西第一届国术比赛，“群英社”均派选手参加，成绩不俗。

陆教头的师傅是邓十一，而邓则是月祖和尚的弟子。月祖少时曾拜云南的白鹤禅师为师，习白鹤派拳、棍术。故“群英社”所教授的拳术，皆为月祖所传。

1939 年，日军犯邕，百姓纷纷逃难，“群英社”师徒亦各散西东。此后，该社停止活动达四十年之久。

如今，陆桂高当年的徒弟劳桂廷和陆振标已将“群英社”恢复，并将原社名易为“南宁群英武术研究馆”。

何物“龙州鸡鬼”?

李白凤

旧时有“龙州鸡鬼”之说，龙州之颜生记及

农某、黄某还是当时出名的“鸡鬼户”。所谓鸡鬼，当地人说它披毛戴角，两眼阴森，状若鬼蜮。而鸡鬼之家，则将鸡鬼藏于坛内，置于家中阴暗角落，每逢朔望，即喂生鸡一只，鸡鬼将它吃得只剩一撮鸡毛；此鬼又嗜蜘蛛，所以鸡鬼之家绝无蛛网。民间有发高烧、胡言呓语之病人，即被认为是鸡鬼附身作祟。病者须请道士或巫公为之驱鬼，方可治愈，否则鸡鬼必啃噬心肝，致其于死。一时沸沸扬扬，真令人毛骨悚然。

民国初年，广西督军谭浩明之子发高烧，胡言呓语，谭以为鸡鬼作祟，遂将颜生记拘来，令其将鸡鬼召回。督军此举，不仅轰动龙州，而且闹得全省皆知，甚至外省亦风闻龙州鸡鬼之说。当是时也，颜生记及农、黄等鸡鬼之家，受宗族隔离，无人与其子女婚嫁，被歧视到极点。

其实，遍体发烧、胡言呓语乃恶性疟疾的一种病症，并非鸡鬼附身作祟。直至三十年代末，龙州的文化教育与医药渐次普及，民智日开，才弄清真相。五十年代初，颜生记之女颜曼莉亦得以参加政府工作，后又转入百色文工团为演员、导演，所谓鸡鬼人家，再也不受歧视，“龙州鸡鬼”之说亦逐渐消弭。

后记

《桂海遗珠》是继《八桂香屑录》以后，由广西文史研究馆编辑的《新编文史笔记》丛书广西卷第二册，全书一百三十余篇。所收题材广泛，覆盖面广，内容丰富，史料翔实，具可读性和知识性。为什么谢和赓不能到郭沫若家？韦拔群为何不当县长？徐悲鸿所画《广西三杰》现在何处？“戏鸿堂”碑刻何以未被日军掳掠？徐悲鸿为什么把王莹画入《愚公移山》画中？抗战期间，在桂林轰动一时的名剧《再会吧！香港》从上演、禁演、解禁的来龙去脉是怎样的？梅兰芳的墨宝是否有假？第一个报道南沙群岛的新闻记者是谁？……翻开本书，上述疑问便迎刃而解了。

本书以拾遗补缺，弘扬中华民族文化为宗旨，以本馆馆员和馆外人士亲见、亲闻、亲历的事件为内容，从不同侧面反映我区近百年来的社会风貌及遗闻趣事。文章短小精炼，语言朴实。特别是民族风情各篇,多为本族人手笔,多姿多采的各民族习俗,散发着浓郁的地方气息,颇值一读。

本书主编唐侬麟,参加编辑人员有(按姓氏笔划为序):叶春生、苏运钦、陆君田、赵大冠、唐侬麟、黄童生。

由于时间仓促,加之我们水平有限,书中错误之处,敬请读者赐教、斧正。

编者